U0789009

光緒庚寅秋
九月杭州許
氏榆園校刊

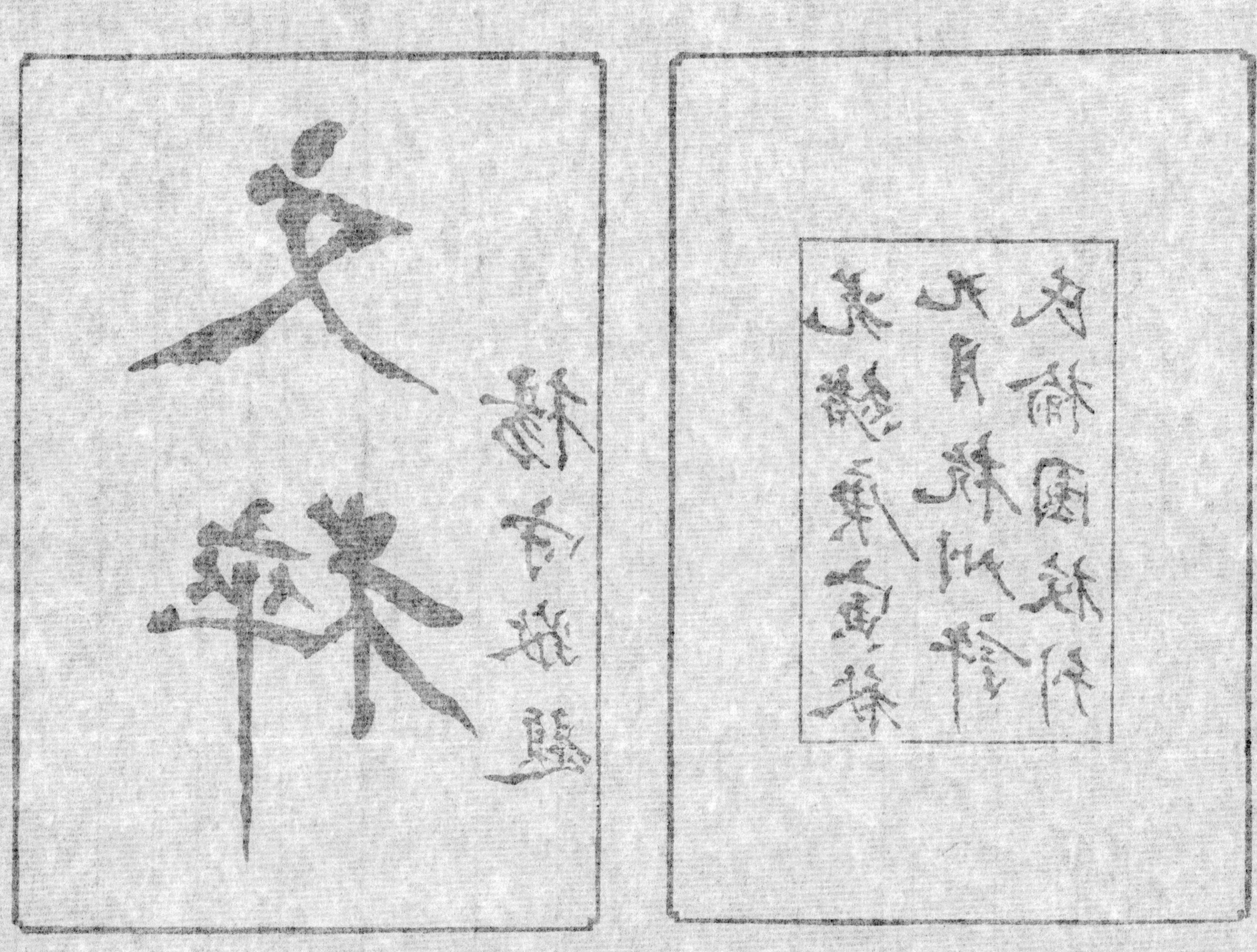
文華
楊守敬題
光緒庚寅年

文粹卷第七十六

吳興　姚鉉

記六　總一十首

浮圖

撫州寶應寺律藏院戒壇記

顏真卿

如來以身口意三業難調伏也淨尸羅以息其內行住坐臥四威儀攝善心也明布薩以昭其外故曰波羅提木义是汝之師則憍陳如之善來迦葉波之尙法諸聲聞三歸約衆十四年以八敬度尼羯磨相承其致一也至漢靈帝建寧元年有北天竺五桑門支法領等始於長安譯出四分戒本兼羯磨與大僧受戒至曹魏有天竺十尼自遠而來爲尼受具後秦姚萇弘始十一年有梵僧佛陀耶舍譯出四分律本而關內先行僧祇江南盛行十誦至元魏法聰律師始闡四分之宗聰傳道覆覆傳惠光光傳雲暉願願傳理隱樂洪雲雲傳遵遵傳智首首傳道宣宣傳洪洪傳法勵勵傳滿意意傳法成成傳大亮道賓句亮傳雲一賓傳岸超惠澄澄傳惠欽皆口相授受臻于壺奥欽俗姓徐洪州建昌人葢漢孺子之後也二十二尋師于臨川楮山後五歲削髮隷于高安龍岡寺遂

受戒有唐義淨則譯經上足曰洪州之靈傑其秉宣羯磨者曰兩京滌法銳欽智度沖深神用高爽行無權實身絕開遮闡律藏而日月光明騁辯才而龍象蹴踏江嶺之外凜然風生開元末北遊京師充福先大德常誦大涅槃經而講之兼明俱舍論維摩金剛經每登講座其下日有二三千人由是名動輦轂屬祿山作亂杖錫南歸居于西山洪井雙嶺之間慕高僧觀顯之遺蹤於寺北刱羅藹若山泉之美頗極幽絕欽雖堅持律儀而志在弘濟好讀周易左傳下筆成章著律儀輔演十卷嘗撰本州龍興寺戒壇碑頗見稱於作者大曆三年眞卿忝刺撫州東南四里有宋侍中臨川內史謝靈運翻大涅槃經古臺階局儼然軒構摧圮有高行頭陀僧智清者首事修葺安居住持明年秋七月眞卿續秩將滿有觀察使尚書御史大夫趙國魏公顒以我皇帝降誕之辰奏爲寶應寺仍請山林高行僧三七人冬十月二十三日聖恩允許於是鼎新輪奐其興也教焉乃請止觀大師法源法泉襄陽乘覺清源善弘羅淨圓覺佛跡十喻餘杭惠達洎當州海通海岸等同住董修以資景福僉以爲學徒雖增毘尼未立明年三月乃請欽登壇而董振鐸焉仍俾龍岡道幹天台法裔招提智融白馬法肙衡岳正覺同德義盈香城藏選龍興藏志開元明徹等同秉法事於是遠近駿奔道場側塞聖象放光而龍王不雨者四旬僧尼等三百五十七人而文士正議大夫前衛尉少卿張延皋脫俗歸眞其名曰瓌綱爲稱首焉又欽比年已來爲受具者凡一萬餘人江嶺湖海之間幅員千餘里象法於變皆欽教道之力焉臨川在嶺隅未嘗弘律於是二眾三百餘人謂法裔敷演而依止之復有上都資聖寺高德曰還本律主偉茲能辨深嗟歎而贊美之請於寺東南置普通無礙禪院院內立鎮國觀音道場請善弘居之以開悟心要雲一上足曰智融精持本事如會尊眾乃命智光等於普通道場東置律藏院刱立戒壇句以佇欽公之來儀且施肇紀之不朽經營未幾壇殿鬱興肅乎渡海浮囊分豪羅剎之請嚴身纓絡照耀

摩尼之光則入佛位而拔伽梨者名香普薰神足無極其可勝紀
而無絕乎有唐大厤辛亥歲春三月行撫州刺史魯郡開國公顏
眞卿書而志之

孤山永福寺石壁法華經記　　元稹

桉沙門釋惠皎自狀其事云永福寺一名孤山寺在杭州錢塘湖心孤山上石壁法華經在寺之中始以元和十二年嚴休復爲刺史時惠皎萌厥心卒以長慶四年白居易爲刺史時成厥事上下其石六尺有五寸短長其石五十七尺有六寸座周於下葢周於上堂周於石砌周於堂凡買工鑿經六萬九千二百有五十錢十經之數經既訖又立石爲二碑其一碑凡輸錢於經者由十而上皆得名於碑其輸之貴者有若吏部郎中杭州刺史嚴休復中書舍人杭州刺史白居易刑部郎中湖州刺史崔玄亮刑部郎中睦州刺史韋文恪處州刺史韋行立衢州刺史張聿御史中丞蘇州刺史李諒御史大夫越州刺史元稹右司郎中處州刺史陳岵九

刺史之外縉紳之由杭者若宣慰使庫部郎中知制誥賈餗以降鮮不坿於經石之列必以輸錢先後爲次第不以貴賤老幼多少爲後先其一碑僧之徒思得名聲人文其事以自廣余以長慶二年相先帝無狀譴於同州明年徙於會稽路出於杭杭民競相觀睹白怪問之皆曰非觀宰相葢欲觀曩所聞之元白耳由是僧之徒誤以余爲名聲人相與日夜攻刺史白乞余文余觀僧之徒所以經於石文於碑葢欲爲不朽且欲自大其本術今夫碑既文經既石而又九諸侯相率貢錢於所事由近而言亦可謂來異宗而成不朽矣由遠而言卽不知幾千萬歲而外地與天相軋陰與陽相盪火與風相射名與形相滅則四海九州皆大空中一微塵耳又安知其朽不朽哉然而羊叔子識枯樹中舊環張僧繇世世爲畫師歷陽之氣至今爲城郭苟一吐而異世卒不可化鍛之中學數息則易成此又性與物一相遊而終不能兩相忘矣又安知夫六萬九千之文刻石永永因衆姓合成獨不能爲千萬劫含藏之

不朽邪由是思之則僧之徒得計矣至於佛書妙奧僧當爲余言余不當爲僧言況斯文止紀於刻石故不及講貫其義云長慶四年四月十一日浙江東道都團練觀察處置等使通議大夫使持節都督越州諸軍事守刺史兼御史大夫上柱國賜紫金魚袋元稹記

福州南澗寺上方石像記　歐陽詹

萬物闓闢各由襲沿無襲無沿而忽以然苟非妖怪實爲珍慶斯石像者其珍慶歟始孕靈韞質朕兆未見則峩峩巨石巖峭山立鎮郡城之前阜歷蓮宮之上界海若鞭而莫動天將泐而終固皇唐天寶八年五月六日清晝忽騰雲旁涌驟雨來集驚飈環駭匌匌杳冥雄雄者雷驍然中震逆火噴野大聲般空岑嶺躨跜潭洞皷蕩須臾風雨散雷雲收激劈輪囷斬爲中闕南委地以梯落北干霄而碣樹不上不下不西不東亭亭厥心隱隱真像三十二相具八十種好備列侍環衛品覺有序莊嚴供養文物咸秩融然慈

面儼矣儀形似倚雪山而授法如開月殿以趺坐異矣哉不曰博聞乎未聆於既往不曰多智乎罔測其所來且物之堅莫堅於石況高厚廣袤又羣石之傑一朝瓜剖中有雕琢其爲造石之初致有相以外封乎其爲有石之後人無閒以內攻乎憶不可以人事徵試請以神化察巍巍釋氏發揮道精其身既傾其神不生等二儀以通變齊四大而有力教於時有所讚靡人於教有所忸怩則爲不可思議以煦以吹故示此無跡之跡難然之然俾知其我存存入我之門經曰千百億化身蓋隨感而應茲身者則千百億之一焉昔諸佛報現皆託於有命有命則有生有生則有滅曷若因其不朽之物憑乎不動之基形既長存法亦隨是與夫爲童兒而出世假長者以來化玄玄之徼則雖一永永之利則不侔可以禮足而悔罪寄影以安樂予則求福不回者焚香跪仰或從釋子之後故爲巉巉之餘仞聊書其所由來貞元六年七月十五日記

畫西方幀記　白居易

我本師釋迦如來說言從是西方過十萬億佛土有世界號極樂以無八苦四惡道故也其國號淨土以無三毒五濁業故也其佛號阿彌陀以壽無量願無量功德相好光明無量故也諦觀此娑婆世界微塵衆生無賢愚無貴賤無幼艾有起心歸佛者舉手合掌必先向西方有怖厄苦惱者開口發聲必先念阿彌陀佛又範金合土刻石織文乃至印水聚沙童子戲者莫不率以阿彌陀佛爲上首不知其然而然由是而觀是彼如來有大誓願於此衆生衆生有大因緣於彼國土明矣不然者南北東方過去見在未來佛多矣何獨如是哉何獨如是哉唐中大夫太子少傅上柱國馮翊縣開國侯賜紫金魚袋白居易當衰暮之歲中風痺之疾乃捨俸錢三萬命工人杜敬宗按阿彌陀無量壽二經畫西方世界一部高九尺廣丈有三尺阿彌陀佛坐中央觀音勢至二大士侍左右天人瞻仰眷屬圍繞樓臺伎樂水樹花鳥七寶嚴飾五綵彰施爛爛煌煌功德成就弟子居易焚香稽首跪於佛前起慈悲心發弘誓願願此功德迴施一切衆生一切衆生有如我老者如我病者皆願離苦得樂斷惡修善不越南部便覩西方白毫大光應念來感青蓮上品隨願往生從見在身盡未來際常得親近而供養也欲重明此願而偈讚云

極樂世界清淨土無諸惡道及衆苦願如我身老病者同生無量壽佛所

盧山黃石巖禪院記　　劉軻

古老有言曰太極之氣積成山岳洩爲川瀆然則匡阜之境其大者乎庚辰歲山客劉軻采拾怪異自麓至頂卻下半里餘次于黃石巖巖中有棲禪子不知其幾臘而瓌行峻節人事難能僕高其人而信宿忘返乃賾其輕重頗見其宅心之地乃問其住年但手指松桂云毫髮我植今環人臂烏飛兔走吾復何齒矧卯戌之昏旦霜炎之凍炙生落之榮顇去留之泝沿雖云云自彼而於我茂如也於戲向非巖房峭絕僧行孤峙則人境兩失固其宜也復何

言哉觀夫煙雲雜乎履舄嵐靄生於襟袖羣形浩擾併入眸子每至煙雨初霽山光澄練泠泠仙語如在耳右況又聳淩兢上冥冥焉知不能與洪崖接袂浮邱連鑣盈縮造化吐納顥氣絕慚容於厚面遠喧卑之膻（一作腥）穢乎不得而然者蓋鉤也餌也名爲利鉤利爲名餌呑鉤食餌手足羈鎖彼焉得跳躍於此乎夫禪子脫去桎梏四支宣展動與雲無心靜將石何機物我一致端邪徑塞僕所謂非斯人不能住斯境也禪師宜春人俗姓劉名常進人以師久住遂以其姓易其巖名云

沃州山禪院記

白居易

沃州山在剡縣南三十里禪院在沃州山之陽天姥岑之陰南對天台而華頂赤城列爲北對四明而金庭石鼓介焉西北有支遁嶺而養馬坡放鶴峰次焉東南有石橋谿谿出天台石橋因名焉其餘卑巖小泉如子孫之從父祖者不可勝數東南山水越爲首剡爲面沃州天姥爲眉目夫有非常之境然後有非常之人棲焉晉宋以來因山洞開厥初有羅漢僧西天竺人白道猷居焉次有高僧竺法潛支道林居焉次又有乾興淵支遁開威蘊崇實光識斐藏濟度逞印凡十八僧居焉高士名人有戴逵王洽劉惔許玄度殷融郗超孫綽桓彥表王敬仁何次道王文度謝長霞袁彥伯王蒙衞玠謝萬石蔡叔子王羲之凡十八人或遊焉或止焉故道猷詩云連峰數千里修竹帶平津茅茨隱不見雞鳴知有人謝靈運詩云暝投剡中宿明登天姥岑高高入雲霓還期安可尋蓋人與山相得於一時也自齊至唐茲山寖荒靈境寂寥罕有人遊故辭人朱放詩云月在沃州山上人歸剡縣邊劉長卿詩云何人住沃州此皆愛而不到者也大和二年春有頭陀僧白寂然來遊茲山見道猷支竺遺跡泉石盡在依依然如歸故鄉戀不能去時浙東廉使元相國聞之始爲卜築次廉使陸中丞知之助其繕完三年而禪院成五年而佛事立正殿若干間齋堂若干間僧舍若干間夏臘之僧歲不下八九十安居遊觀之外日與寂然討論心

要振起禪風白黑之徒附而化者甚眾嗟乎支竺歿而佛聲寢靈山廢而法不作後數百歲而寂然繼之豈非時有待而化之有緣邪六年夏寂然遣門徒僧常贇自剡抵洛持書與圖詣從叔樂天乞爲禪院記云昔道猷肇開茲山後寂然嗣興茲山今日樂天又垂文茲山異乎哉沃州山與白氏其世有緣乎

塑像記

段成式

在世間攘巨寇必思祇金浴鐵強矯雄毅者雖空門亦忿怒魔撲爲法大防也據內典下天處蘇迷盧之半爲忉利尉候北方毗沙門統藥叉眾所治水精宮城護世其住處曰芬陀利曰質多羅曰七林曰摩偷曰如意等下壓象跡當歡喜之地上接蜂歌雜莊嚴之境常憍尸迦將破怨敵聖者奮勇健臂出甲胄林獨揭勝幢不頓一戟孽迦嬰而垂翅撿修羅而束手猶怒折蓮柄狂搜藕絲蓋多聞位居初地離十二失故經云毗沙門得方便救護之門昔縛喝伽藍北虜感夢而懺悔近于闐聚落西羌覲相而來降其威神營衛肸蠁靈應事無虛譯世不絕書相傳北方天王與贍部有緣謂西域瞿薩國本天王棲神之處也廬陵龍興寺西北隅先有設色遺像武宗五年毀廢至大中初重建寺其處爲僧乾立所居乾每謂曩不安旬日方悟遽徙他室昉誓造北方變（梁朝謂雕塑像亦爲變也）請押衙熊輅爲導首輅遂與執白籌者郭宣熊師佐等縱與閭伍爲說第一施結增上緣獲零憏貨貝共二十萬輅厚自捐徹周歲功就乃多聞儀形嚴毅如生屆結雲聚目棱電擊猛燄彗肩蚑蜂搶軒金塗錯落而燐亂彤彩陸離而芒角得工巧明矣其或夔魖蠱猘覫是不翅擊三屍磔五冢也及素天女主藏神凡四四事堂內三壁寫載部落雷公拗怒忖留惡覷呀可畏也吉之人香火徼福杯篿乞靈福既據我靈詎乏主噫予曾闕正法念經說摩醯陀山六齋日四天於此會計閻浮提善業豈容不歸敬與輅爲學性端介敏辯王公多伏之復晤禪那宗要得總持契訣常持北方真言大中三年病且死忽夢天王操戟卓地有泉迸射搏之及面因驚

覽汗洽而愈十二年洪州狂賊盜兵殺吏尋定州差輅上府至新塗夢天王支槊張目曰世途若此爾欲何往即宿留數日賊毛鶴果膾肝飲頭尤恣殘酷其驗較著如是十三年秋予間居漢上輅爲交阯使入京請予紀釋氏事以上事請予明張北方故實焉

信州南巖草衣禪師宴坐記　權德輿

信州南巖有清淨宴坐之地而禪師在焉師所由來莫得而詳初州人析薪者遇之于中野其形塊然與草木俱咨於州長乃延就玆地三十年矣州人不知其所以然也遂以草衣號焉足不蹈地口不嘗味日無晝夜時無寒暑寂默之境一繩牀而已藹有巋然此心不動其內則以三世五蘊皆從妄作然後以無有法諦觀十二因緣於正智中得眞常眞我方寸之地湛然虛無身及智慧二俱清淨微言軟語有時而聞涉其境之遠近隨其根之上下如雨潤萬物風行空中履其門閾皆獲趣入若非幹玄機於無際窮實相之源底則四時攻於外百疾生於內矣古所謂遺物離人而立於獨者禪師得之嗚呼世人感物以遊心心遷於物則利害生焉吉凶形焉牽攣羈鎖蕩而不復至人則返靜於動復性於情夭壽仁鄙之殊由此作也斯蓋世諦之一說耳於禪師之道其猶稊稗邪建中二年予以使役道于上饒時左司郎崔公出爲郡佐探禪師之味也熟爲予詳言之拂拭纓塵攜手接足洗我以善得於儀形且以爲楞嚴之妙旨毗耶之密用皆在是矣又焉知此地之宴坐不爲他方之說法乎故粗書聞見以志于石

鸚鵡舍利塔記　韋皐

元精以五氣授萬類雖鱗介毛羽必有感清英純粹者矣或炳耀離火或稟奇蒼精皆應乎人文以奉若時政則有革彼禽類習乎能言了空相於不念留眞骨於已斃始非元聖示現感於人心同夫異緣用一眞化前歲有獻鸚鵡鳥者曰此鳥聲容可觀音中華夏有河東裴氏者志樂金僊之道聞西方有珍禽羣嬉和鳴演暢法音以此鳥名載梵經智殊常類意佛身所化常狎而敬之始告

以六齋之禁比及辰後非時之食終夕不視固可以矯激流俗端嚴梵倫或教以持佛名號者曰當由有念以至無念則仰首奮翼若承若聽其後或俾之念佛則默然而不答或謂之不念即唱言阿彌陀㦯試如一曾無爽異余謂其以有念爲緣生以無念爲眞際緣生不答爲緣起也眞際難言言本空也每虛室戒曙發和雅音穆如笙竽靜鼓天風下上其音念念相續聞之者莫不洗然而嘉善矣於戲生有辰乎緣其盡乎以今年七月猝爾不懌已日而甚馴養者知將盡乃鳴磬告曰將西歸乎爲爾擊磬爾其存念每一擊磬一稱彌陀佛洎十擊磬而十念成斂翼委足不震不仆奄然而絕按釋典十念成往生西方又云得佛恵者歿有舍利知其說者固不隔殊類遂命火以闍維之法焚之餘燼之末果有舍利十餘粒炯爾耀目瑩然在掌識者驚視聞者駭聽咸曰苟可以誘迷利世安往而非菩薩之化歟時有高僧惠觀常詣三學山巡禮聖跡聞說此鳥涕淚悲泣請以舍利於靈山用陶甓建塔旌異也

余謂此禽存而由道歿而有徵古之所以通聖賢階至化者女媧蛇軀以嗣帝中衍鳥身而建侯紀乎冊書其誰曰語怪而況此鳥有弘於道流聖證昭昭胡可默已是用不愧直書于辭貞元十九年八月十有四日檢校司徒兼中書令成都尹南康郡王韋臯記

泗州大水記

呂周任

春秋左氏傳曰天反時爲妖地反物爲災其於水也反利爲害矣在唐堯時包山陵而浩滔天在漢武時浮瓠桑而浸鉅野皆震蕩上心昏墊下人其故何哉天其或者警休明而表忠誠也皇唐貞元八年歲在壬申夏六月上帝作孽罰茲東土浩淼長瀾周亘千里請究其本而言之是時山泐桐柏發鎮歕湧下注淮瀆平満七丈浮壽逾濠下連滄波東風駕海潮上不落雨水相逆濺濤倒流蹙縮迴薄衝壅淮泗積陰驟雨河瀉瓴建不舍晝夜至于旬浹乾坤合怒雲雷爲屯以水濟水吞洲漂防走不及竄飛不及翔連甍爲河海噍類如魚鼈事出慮外孰能圖之開府儀同三司檢校右

散騎常侍兼御史大夫泗州刺史武當郡王張公伾以其始至也聚邑老以訪故搴薪樴石以禦之其漸盛也運心術以馭事維舟編桴以載之遂運舳促艫斂邑之孳嫠老弱州之庫藏圖籍官府之器先寘于遠墅軍資甲楯士女馬牛遽遷于水次將健丁壯過水之不可者任便而自安逮數日而計行矣洪波汗漫不測涯涘驚飈鼓濤舟不得不覆巨浪崩山城不得不圮崇邱如島稍稍而沒夏屋如査汎汎相繼天迴地轉混茫其中公獨與左右十數人纜舟於郡城西南隅女牆濕堵之上以向衝波之來不亦危哉公之左右失色同辭請移公曰伾天子守土臣也苟有難而逆之若死不爲公於是使部內十驛遷於虹城西鄙而南傍南山而東四百里達維揚之路俾星郵無壅又東北直渡經下邳五百里至於徐州通廉察之問又移淮南城將令斷扁舟往來立標樹信以虞寇盜之變公每端拱對水而訴曰伾奉聖主明詔司牧此州以親萬姓河公何爲不仁降此大沴伾之罪也厲聲正色阽危不撓歷再旬而水定又再旬而水耗自水始至及水始耗已六時矣又一時而復流郊境之內無平不陂郛郭之間無岸不谷尺椽片瓦蕩然無所有可異者唯公之露寢與內寢巋然存焉豈不可浮而往抑不可顚而壞乎斯則神仰公之仁先庶物而遺己神賞公之忠臨大難而守節神高公之義動適權以成務故保其聽政養安之所旌公之善也昔邵伯之理也人愛甘棠而勿翦方茲神靈扶持不亦遠乎公乃捨車而徒棄轎而泥弔亡恤存綏復軍郡遠軫聖慮詔左庶子姚公弔而賑之至於修府署建城池詔有司計功而償緡立鄽市造井屋公申勸料程以貰以貸纔踰年而城邑復常矣其於縮板爲垣樹柳爲籬端衢四達廨宇雙峙雙闕雲聳瓊臺中天卽公之新惠也天災流行何代無之逢昏卽盛遇賢卽退故劉琨返風而火滅王尊臨河而水止蓋忠誠之至也公嘗領羸兵守孤城以百當萬俾國家全山東之地名載青史公卽國之長城

也今以一葦之航絓於危堞之上以當漲海之勢城殰而一塊不
傾水止而所濟獲全公卽國之貞臣也固知明主之委任於公也
皆感而通焉周任不敏學於舊史氏借古以喻公未或同年矣謹
述而紀之

文粹卷弟七十六

也今以一葦之航維於危堞之上以當濤瀨之勢減湍而一塊不
傾水土而所濟復全公即國之臣也固知明主之委任於公也
皆隸而通詣周任不敢學於舊史氏借古以喻公未敢同乎矣謹
迹而紀之

文粹卷第七十六

文粹卷弟七十七

記七 總一十七首志坿

吳興　姚鉉　纂

太學張博士講禮記記

歐陽詹

說釋典籍謂之講講之為言耩也如農之耕田疇焉田疇將植而求實雖耕矣必耩分其畦壟嘉穀由是乎生典籍將肄以求明雖習矣必講窮其旨趣儒術由是乎成我國家春享先師後吏日命

太學博士清河張公講禮記盛儒術也聖祖三刋九經公通其六精于五而禮記在其中禮也者御人之大故首于羣籍而講之東脩既行筵肆乃設公就几北坐南面直講抗牘南坐北面大司成端委居于東小司成率屬列于西國子師長序公侯子孫自其館太學師長序卿大夫子孫自其館四門師長序八方俊造自其館廣文師長序天下秀彥自其館其餘法家墨家書家筭家術業以明（一作驗業以從）亦自其館沒階雲來即席鱗差攢弁如星連襟成帷公先申有禮之本次陳用禮之要正三代損益得失定百家疏義長短鎔乎作者之意注乎學者之耳河傾于懸風落于天清泠灑蕩幽遠無泥所昧鏡徹於靈臺所疑冰釋於心泉後一日聞于朝百司達官造者半後一日聞于都九城知名造者半皆尋聲得器虛來實歸予職在下庠亦掌有教道不足訓領徒從公惟始洎終覩公之美敬書盛事記諸屋壁幷列當時執簡摳衣者于左偏貞元十四年五月二十七日記

穆氏四子講藝記

崔祐甫

檢校祕書少監兼和州刺史侍御史河南穆寧字子寧以正直登朝以嚴明作牧斯歷陽之人弗惟奉丞相御史之符候持三尺律期於禁暴懲姦而已迺能廣吾君之德靖人於教化教化之興始於家庭延於邦國事之體大且非諛聞者之所及也請言其家之教化焉使君有四子曰贊曰質曰賡曰賞聳秀之姿若瑤林植庭雪羽馴廡克岐克嶷突而偕弁方欲以六經百氏播禮樂務忠孝正名器導人倫如蘭有芳心泉有清源兆德之階於是乎始使君曰昔陳亢喜聞詩聞禮聞君子之遠其子於孔鯉今茲贊之儕也其年或成人或幾成人學詩學禮則亦既戒遠子之節吾事可不務哉於是考州之東四十里因僧居之外階庭戶牖芳草拳石近而幽遠而曠潭漫平田觱沸溫泉可以步而適可以濯而蠲謂爾羣子息焉遊焉贊質暨賡賞拜手稽首曰應惟惠施之車仲舒之帷蘇秦之錐三物畢具而郡廷溫清所在今也啟晨昏為旬朔夫

豈不懷家人有嚴君焉惟命之受曰俾爾斷俾爾決俾爾貧則使君之材使君之堂使君之薪成且美矣安在其習定省之近儀哉抑又嘗聞迺祖安陽府君傳洪範九疇究天人之際贊等祇荷嚴訓述修祖德穆氏之門欲不六不可得也祐甫不腆幸與使君有郎省之舊考槃在阿歲聿云暮誰謂相遠駕言出遊既覿邦君又適諸子之館使君第三子字紹古於伯季之間肄文史考故實甚精而成因見謂曰丈人吾父之友也從事於游夏之門久矣盍以文見誨如饜也宜何文也祐甫應之曰僕朴人也徒有志於文知文之阡陌而不知其精粹請道其所見而紹古自執焉欲以文經邦者宜董賈欲以文動俗者宜揚馬言偃之文鬱而不見卜商有詩序其體近六經屈原宋玉怨刺比興之詞深而失中近於子夏所謂哀以思刻石銘座者取崔蔡論都及政者宗班張飛書走檄者徵陳琳曹劉之氣奮以舉潘陸之詞縟而麗過此已往未之或知宋齊已降年代未遠有文之士胄系皆存議其優劣其詞未易故斷焉紹古曰盍書之因命筆而記之大厤七年十一月十八日

檢校尚書吏部郎中博陵崔祐甫之詞也

吳郡詩石記　白居易

貞元初韋應物為蘇州牧房孺復為杭州牧皆豪人也韋嗜詩房嗜酒每與賓友一醉一詠其風流雅韻多播於吳中或目韋房為詩酒仙時予始年十四五旅於二郡以幼賤不得與遊宴尤覺其才調高而郡守尊以當時心言異日蘇杭苟獲一郡足矣及今自中書舍人間領二州去年脫杭印今年佩蘇印既醉於彼又吟於此酣歌狂什亦往往在人口中則蘇杭之風景韋房之詩酒兼有之矣豈始望及此哉然二郡之物狀人情與曩時不異前後相去三十七年江山是而齒髮非又可嗟矣韋在此州歌詩甚多有郡宴詩云兵衛森畫戟燕寢凝清香當時㝡為警策今刻此篇于石傳貽將來因以予旬宴一章亦附于後雖雅俗不類各詠一時之志偶書石背且償其初心焉寶厤元年七月二十日蘇州刺史白

居易題

琴會記　柳識

君子之座必左琴右書雅好閱古古亦置於舟車也大厤六年浙西觀察使蘇州刺史兼御史大夫贊皇公祇命朝于京闕春正月夕次朱方刺史樊公稱江月當軒願以卮酒侑勝居無何贊皇公弦琴樊公和之演操相應澄清撫綏遞為伯牙更為子期琴動人靜琴酣酒醒清聲向月和氣在堂春風猶寒是夜覺暖罷宴之後贊皇顧潤州曰見明珠者始賤魚目知雅樂者始賤鄭聲自樸散為器真意在琴與衆樂同出於虛獨能致靜同韻五音獨能多感同名為樂獨偶聖賢是宜稱德切近於道昔堯以美利利于天下曲名始暢自舜禹至于夫子不止且聲著哀思或嘗感自陳其後居常翫之和理所措若然者𥨊襲淘公真意空拍而已豈襲胡笳巧麗異域悲聲我有山水林一作桐音寶而持之古操則為其餘未暇是知贊皇所好無非貽訓似有道而猶重之若此況乃真有道之士乎輒記所論貽諸達者

伯樂川記　孫逖

太原元帥黃門侍郎李公國之宗盟朝之峻德以元凱之忠肅兼桓文之節制戊辰歲秋七月公以疆埸之事會幽州長史李公于伯樂川王命也公駕四牡鏘八鸞旆旌悠悠車轞嘽嘽乙未出于北京戊戌次于横野己亥至于會封入戒備軍吏徧設立會表于高阜闢轅門於大荒漁陽精鋭太原材力騆介八百徒兵三千戈如林羽若月少長有禮賓主不悖蚩尤𩊑其五兵若敖懋其六卒洸洸乎信可以懾穹廬而震高闕也於是地主致饔以昭饗宴之禮君子有儀以訓上下之則歌蔓草之相遇笑投壺之失辭大庖既盈釃酒有藇胥樂周於卒乘厭厭及於輿臺慾慝之德於是乎在夫幽州太原襟帶之地自河以北幽州制之自河以東太原制之在兩軍之交當二境之上厥有棄地皆為曠林守之則表裏之勢全舍之則候望之路隔公料以古今度其川原獻方略而入覲

于王議工徒而東爲此會爰究爰度匪遊匪追蕁食無再舍之勤扞掫爲一夕之衞不愆于素返旆而旋君子謂此會也能用典矣初公之始至太原也酌於人賦於事以爲節用者國之善政於是乎減戍卒以寬其征修備者武之善經於是乎置秋集以裒其旅足食者人之所庇於是乎賞屯兵以艾其力近利者姦之所生於是乎禁和糴以懲其弊然後序山澤之險廣亭燧之虞候騎出於長城爟火通於大漠書田庀賦講射訓騶蓄信義爲國寶修德刑爲戰器行之一年軍乃有節邊鄙不聳襲黃之教也雖魏絳有和戎之利郄縠有敦詩之德申伯之式是南邦韓侯之奄受北國曷云比議未足量力公之與幽州李公也義均伯仲芳若蕙蘭周諸侯以異姓爲後晉大夫以同官爲僚入亞六卿共行司馬之法出膺九命俱受元戎之律詩曰維其有之是以似之其二公之謂矣不書所會將何述焉揚厥美萬斯年俾夫來世知二公相見在此川也

嶺南節度使饗軍堂記 柳宗元

唐制嶺南爲五府府部州以十數其大小之戎號令之用則聽于節度使焉其外大海多蠻夷由流求訶陵西抵大夏康居環水而國以百數則統于押蕃舶使焉內之幅員萬里以執秩拱稽（句）時聽教命外之羈屬數萬里以譯言贄寶歲帥貢職合（內外二使）之重以治于廣州故賓軍之事宜無與校大且賓有牲牢饔餼嘉樂好禮以同遠合疏軍有犒饋宴饗勞旋勤歸以羣力一心於是治也閈閎階序不可與他邦類必厚棟大梁夷庭高門然後可以上充於揖讓下周於步武今御史大夫扶風公廉廣州且專二使增德以來遠人申威以修戎政大宴饗合樂從其豐盈先是爲堂於治城西北陬其位公北向賓衆南向奏部伎于其西視泉池于其東隅奧庳仄庭廡下陋日未及晡則炎赫當目汗眩更起而禮莫克終故凡大宴饗大軍旅則寓于外壘儀形不勝公於是始斥其制爲堂南面橫八楹縱十楹宴饗之位化爲東序西又如之其外更衣

之次膳食之宇列觀以游目偶亭以展聲彌望極顧莫究其往泉池之舊增濬益植以服以息如在林壑問工焉取則師興是供問役焉取則鑾隸是徵問材焉取則隙宇是遷或益其闕伐山浮海農賈共手張目示具乃十月甲子克成公命饗于新堂幢牙葺纛金節析羽旆旗旟旞咸飾于下鼓以鼖鼓金以鐸鐃公與監軍使肅上賓延羣寮將校士吏咸次于位卉裳罽衣胡夷蜑蠻睢盱就列者千人以上鉶鼎體節燔炰胾炙羽鱗狸牙之物沈泛醍盎之齊均飫于卒士興王之舞服夷之伎揳擊吹鼓之音飛騰幻怪之容寰觀于遠邇禮成樂徧以敘其賀且曰是邦臨護之大五人合之非是堂之制不可以備物非公之德不可以容衆曠于往初肇自今茲太和有人以觀遠方古之戎政其曷用加此華元名大夫也殺羊而御者不及霍去病良將軍也餘肉而士有飢色猶克稱能以垂到今矧茲具美其道不廢願勒于金石以永示後祀遂相與來告且乞辭某牢讓不獲乃刻于茲石

邠寧節度饗軍記

李觀

郎寧郡王張公擁七尺之節臨三州之師牧我邠荒藩我雍疆威厲乎廣漢聲淩乎四鄰戎無南侵國無西憂師嚴民整封守晏如聖上聞之何嘗不負扆而嗟之因乃寵以彤弓嘉以璽書乃慰乃止曷日而無哉於是仗鉞總戎之臣咸望公而歡懼無能稱於維郎寧之卒已仗誠而言曰獲拜賜之光聖上之寵崇郎寧足以厲不戮力之臣然斯事也君臣之殊九敢不述之而已哉越春王二月河澌未流東風始湊優柔逶迤被公軍令公屬奉詔親帥師備胡乘虛君命未復不自議還雖閫外得顓亦大有所不顓也于是軍吏之職事者進伏於戲下曰實以是月賞功息勤惠老及疾哀死及孤厥死無怨厥生而愉所以披軍實賚師徒實舊典也違之不予公從之乃練令辰豁迪城鼓於四門旆於四墉日既登塵不騰窮陰閉淑氣升軍聲歡康儲興靁碩翕乎衆民軼乎氐羌空山之木春近塞之草芳郎寧乃鳩文武之吏列而爲行東西嚮闕而

再拜如蒙上命命之然後申號而惠周升堂而澤溥賚育之倫列於公之宇校師之士次于公之堂進猶風趨坐如雲屯旌旗蔽日刃戟交光公于是眾食而食眾安而安士盡感之優用醉飽而御酒餚是日邠寧軍中無淫聲無亂音右金鼓左羽旄所以奮武之觀壯軍之容其餘管磬之歡絃匏之繁罔不合簡節諧雅音俾三軍之夫毅其氣和其心羣光之長釋我俘歸我侵少壯重銳老疾謳吟禮化為祥虜趨為擒洪矣偉矣邠寧之理明德遐被者乎乃知夫致享者不止乎味張樂者不止乎聲仁可以碩其膚龢可以暢其情故邠寧之饗士兼以仁龢被之豈獨以羶腥猗之哉武有七德邠寧其由二三焉于時歲紀協洽國家郊祀之明年觀布衣來遊賓公之筵宗盟兄侍御史益有文行忠信而從邠寧之軍惡羣小之日取媚也故不自書命觀書之曰子之文直長於記事益知之乃題曰邠寧節度饗軍記

畫記

韓愈

雜古今人物小畫共一卷騎而立者五人騎而被甲載兵立者十人一人騎執大旗前立騎而被甲載兵行且下牽者十人騎且負者二人騎執器者二人騎擁田犬者一人騎而牽者二人騎而驅者三人執羈靮立者二人騎而下倚馬臂隼而立者一人騎而驅涉者二人徒而驅牧者二人坐而指使者一人甲冑手弓矢鈇鉞植者七人甲冑執幟植者十人負者七人偃寢休者二人甲冑坐睡者一人涉者一人方涉坐而脫足者一人寒坿火者一人雜執器物役者八人奉壺矢者一人舍而具食者十有一人挹且注者四人牛牽者二人驢驅者四人一人杖而負者婦人以孺子載而可見者六人載而上下者三人孺子戲者九人凡人之事三十有二為人大小百二十有三而莫有同者焉馬大者九匹於馬之中又有上者下者焉行者牽者涉者陸者翹者顧者鳴者寢者訛者立者人立者齕者飲者溲者陟者降者癢磨樹者噓者嗅者喜相戲者怒相踶齧者秣者騎者驟者走者載服物者載狐兔者凡馬

之事二十有七爲馬大小八十有三而莫有同者焉牛大小十一頭橐駝三頭驢如橐駝之數而加其一焉隼一犬羊狐兔麋鹿共三十旃車三兩雜兵器弓矢旌旗刀劍矛楯弓服矢房甲胄之屬瓶盂簦笠筐筥錡釜飲食服用之器投壺博奕之具二百五十有一皆曲極其妙貞元甲戌年予在京師甚無事同居有獨孤生申叔者始得此畫而與予彈碁予幸勝而獲焉意甚惜之以爲非一工人之所能運思蓋叢集衆工人之所長耳雖百金不願易也明年出京師至河陽與二三客論畫品格因出而觀之座有趙侍御者君子人也見之戚然若有感然少而進曰噫予之手摸也亡之且二十年矣予少時常有志乎茲事得國本絕人事而摸得之遊閩中而喪焉居閒處獨時往來予懷也以其始爲之勞而夙好之篤也今雖遇之力不能爲已且命工人存其大都焉予既甚愛之又感趙君之事因以贈之而記其人物之形狀與數而時觀之以自釋焉

祖二疏圖記　王藹

吳郡顧生能寫物筆下狀人風神情度甚得其態自江以東譽爲神妙有好事者先賄以良金細帛必避而不顧設食精美亦不爲之謝乃曰主人致殷勤豈無意邪何不醉我斗酒乘其酣逸當無愛惜乃張素座隅前卽置酒一器初沈思想望搖首撼頭忽飲十餘杯斗者三揖主人曰酒興相激吾將勇於畫矣午未及夕而數幅之上有帳於京城之外帳中有筵筵中有犧罇二壺觥卽觴而罍斝卽倍犧壺之數而樂師差於前樂有竽琴瑟有笙鏞有缶有筑有鼓而悚若鼓手以合奏也列坐皆冕帶盛服有持筭主事者有捧斝就飲者有憑軾徐來者有目於騎而迴者有仰吻而咍者有俛首而肅者有避席而遺舄者有促襟而將進者此漢公卿祖二疏也主人久視而問曰東嚮而坐卽行客也去國離羣而容無慘恨何爲妙曰二疏之去乃知足也非疾時也非時之不禮也非危於禍機也非避於讒口也非失於權利也既辭勤於夙夜而

果其優游故顔閒無慘恨之色主人歎曰既不爲利易己之能絜也嗜酒而混俗何其高也圖二疏以遺於時俗勸也求其能狀物之情者孰有勝乎

蘇州畫龍記　李紳

自造父劉累歿豢氏不副龍不復擾隱去莫狎往往時見史必書志代以目識者寡之故工得以詭亂形狀神其變化彪炳五色逾遠眞像蓋上飛于天晦隔層雲下歸于泉深入無底考之丹青難以徵驗好事者張其畫以示羣目觀者或駭疑得其狀長洲令廳北廡有畫蛟龍六焉元素異鱗狀殊質怪驤首拖尾似隨風雷乘欂櫨薄楣若麩雲雨燕雀懼栖其上螻蟻罔緣其側目視光射瑩無流塵伸盤逶迤如護欀棟每飛雨廋牖疏雲般空鱗鮮耀陰顧壁疑拔志其側曰僧繇弗興之舊廋摹之不知何人也二工圖龍天與幽思今是壁指遠異代繼之圖法無謝於二子而名漏不傳詢于耆人亦絕傳記茂宰博陵崔君據始命余述舉丹素實驗附邑書末簡庶乎後數百歲棟宇斯變龍亡其像而事刻編簡繇昭昭然時貞元癸未歲秋七月記

錄桃源畫記　舒元輿

四明山道士葉沈囊出古畫畫有桃源圖圖上有谿谿名武陵之源按仙記分靈洞三十六之一支其水趣流勢與江河同有深而淥淺而白白者激石淥者落鏡溪南北有山山如屏形接連而去峰竪不險翠穠不浮其夾岸有樹木千萬本列立如揖丹色鮮如霞擢舉欲動燦若舒顔山鋪水底草散茵毯有鸞青其衿有鶴丹其頂有雞玉其羽有狗金其色毛傞傞亭亭閒而立者十有八九岸而北有曲深嵓門細露室宇霞檻繚轉雲磴五色雪冰肌顔服身衣裳皆負星月文章岸而南有五人服貌肖虹玉左右有書童玉女角髮而侍立者十二視其意況皆逍遙飛動若雲十許片油焉而生忽焉而往其高處有壇層級皆玉冰壇面俄起鑪竈口含火上有雲氣具備五色中有溪艇泛上一人雪華鬚眉身著秦

時衣服手鼓短柮意狀深遠合而視之大略山勢高水容深入貌魁奇鶴情閒暇煙嵐草木如帶香氣熟得詳翫自覺骨戛清玉如身入鏡中不似在人寰間眇然有高謝之志從中來坐少選道士卷畫而藏之若身形御落塵土中視嚮所張壁上又疑有頑石化出塞斷道路某見書物不甚寡如此圖未嘗到眼是知工之精而有如是者邪葉君且自珍重無路得請遂染筆錄其名數將所以備異日寫畫之不謬也

書屏記　司空圖

人之格狀或峻其心必勁心之勁則視其筆跡亦足見其人矣歷代入書品者八十一人賢傑多在其間不可誣也國初歐虞之後繼有名公元和長慶間先大夫初以詩師友兵部盧公載從事於商於因題紀唱和乃以書受知於裴公休辟倅鍾陵及徵拜侍御史退居中條時李忻州戎亦以草隸著稱爲計吏在蒲因輟所寶徐公浩眞跡一屏以爲貺凡四十二幅八體皆備所題多文選五

言詩其胡風動秋草邊馬有歸心十數字或草或隸尤爲精絕或綴小簡於其下記云怒猊抉石渴驥奔泉可以視碧落矣先公清且披翫殆廢寢食常屬誡云正長詩英吏部筆力逸氣相資奇功無跡儒家之寶莫踰此屏也但二者皆美神物所竊必當奪壁於中流飛鋩於烈火也殆非子孫之所可存耳庚子歲遇亂自虞邑居負之置於王城別業丙辰春正月陝軍復入則前後所藏及佛道圖記共七千四百卷與是屏皆爲灰燼痛哉今旅寓華下於進士姚顗所居獲覽書品及徐公評論因感憤追述貽信後學且冀精於賞覽者必將繼有詮次光化二年八月三日泗水司空圖銜涕撰錄謹記之

玉筯篆志　舒元輿

秦丞相斯變蒼頡籀文爲玉筯篆體尚太古謂古若無人當時議書者皆輸伏之故拔乎能成一家法式歷兩漢三國至隋氏更八姓無有出其右者嗚呼天意謂篆之道不可以終絕故授之以趙

郡李氏子陽冰陽冰生皇唐開元天子時不開外奬躬人篆宅獨能隔一千年而與秦斯相見可謂能不孤天意矣當時得議書者亦皆輸伏之且謂之其格峻其力猛其功備光大於秦斯有倍矣此直見上天以字寶瑞吾唐矣不然何綿更姓氏而寂寞無人某道不攻篆而識其點畫常有意求秦丞相眞跡會秦丞相去久聞其有八字刻在荆玉有洪碑樹嶧山巔今荆璧爲墼飛上天矣固不可得而見也洪碑留在人間往往有好事者躋巔得見某亦常問得去嶧山道路異日將褁足觀之未去間行長安會同里客有得陽冰眞跡遺在六幅素上者遂請歸客堂張之見蟲蝕鳥步痕跡若屈鐵石陷入屋壁霜畫照著疑龍蛇駭解鱗甲活動皆欲飛去齊目眎之分明覩文字之根植吾堂中然後知向之議者謂冰愈於斯吾雖未登嶧山觀此可以信其爲深於篆者之言也試以手拂拭其煙顏塵容侵暴日久攝爲坼裂玉節欲折予以褻慢讓其主主曰此易致耳豈當其如是愛邪予曰今世人所以重秦斯之跡非能盡辨別之以其秦古矣斯邈矣向使秦斯與予比肩子能貴之乎曩吾尚欲苦辛登嶧山之巔縮在予掌握中今且猶不爲予貴予不過生於唐而得與冰同爲唐人吾知冰歿二三十年其蹤跡流於人間固不甚少得爲予目數見故易之若此使冰生於秦時予又安得使造次而見遺塵邪是予賤目也世人皆然嗟吁冰既即世是字寶入地矣後人思孜孜求之今且遭不知者忽易想生筆下日有新迹固爲門戸見覩之物矣冰雖欲求沽售不獨棄爲糞土必遭其詬怒也主聞之其愧色見於顏眉間欲卷而退知其退也必因循而不信彊止留之引筆書其志行下以保明其爲字寶也不謬詞曰

斯去千年冰生唐時冰復去矣後來者誰後千年有人誰能待之後千年無人篆止於斯嗚呼主人爲吾寶之

斲琴志

寂寞閒有至音注梧桐中越客沈虬子耳長木音常斧樹之良孫

斲而琴之予客越見其方風釿取朴成輒叫索清濁應刃㵎授成輪圓濁沛雪落清聲酬荅若寒玉透木噴出瓏瓏及察投意之始放心虛無閒猶掌握無毛倫他人見朴在刃下而沈氏成琴入眼中不知釿之數到邪琴之形化邪兩肩聳張若對古人雙池呀開若𢮉澄渟絕刃四顧得色上面旁睨或憒其所以爲沈生乃弦素絲七條其上備指一弄五聲叢鳴鳴中有靈峰橫空鳴臯出雲鳳龍騰凌鶴哀烏啼松吟風悲予聆之初聞聲入身覺毛骨聳擢中見境在眼覺精爽沖動終然睹化源寥寥貫到心靈則百骸七竅仙仙而忘覺神立寥廓上洞見天地初氣篤肩太古闊視區外乃知不知音聲者終身爲朧朦噫木纔滿數尺絲不盈十條古聖人欲其中含天音天之如此直乃叩之以觀化本且絲木俱無情物也固不能自鳴是使歷代知其必鳴之稀以至夔入鼎下枯折空山而不聞者非一也今人明明以聲耳耳且惑況槁木無朕而責其必無惑邪予於此見沈氏子之審音也之運釿也俱與神遇懼異日斯琴流于人閒爲他者亂類則沈氏之道爲委土矣故志之

衛公故物記　韋端符

三年冬端符於三原令座中揖其羣官有客曰某丞李謂端符曰是衛公之胄也其家傳賜書與他服器十餘物者訖謙端符卽丞居爲客謁丞延入就次端符因跪請曰籍君僕射公之嗣固願見僕射公之烈之多其事辭雖文記或闕略具天下耳舌矣聞君世傳文帝詔與公服物者願得以觀丞慘慘曰諾卽其家傴僂躍步奉賜書一函他物一器出發視有玉帶一首末爲玉十有三方者七梃兩隅者六每綴環焉爲附而固者以金丞曰傳云環者列佩用也玉之粹者若含飴然澤者若渙釋然公擒蕭銑時高祖所賜于闐獻三帶其一也素鞾袍一其襟袂促小裁制絕巧密光爛爛如波旁出紫文綾襖一促製小袖如袍其爲文林樹於上其下有馳馬射者又雜爲猨猊虎貙麞䴥者韡袴一往來爲鉤屬鎖劒文

疑非華人所爲也自始傳于今莫能名其物象笏一差狹不類今笏者佩筆一奇木爲管韜刻飾以金别爲金環以限韜其閒韜者火鏡二大觿一小觿一筆囊二椰盂一蓋常佩於玉帶環者十三物亡其五其存者八大帝爲兒時與公子某年上下文帝命居宮中侍吾兒戲卽賜以皇子服物黄綾袍緋綾帬皆爲龍鸞文素錦褾綷五采爲花若鳥者素錦半袖小笏皆緻巧功良今工之爲不能也文帝賜書二十通多言征討事厚勞苦信必威賞而已其兵事節度皆付公吾不從中理也暨公疾親詔者數四其一曰有晝夜視公病大老嫗令一人來吾欲熟知公起居狀丞曰權文公視此詔常泣曰君臣之際乃如是邪端符既畢觀中若有物擊惻其心者於玉帶見遠方致物而上不專有以賜有功也於文錦衆物見其時之工志功不志靡也於賜公子以皇子衣服見視臣如友而子猶兒也於詔征討見擇將材付將職也上嘗不曲制其事旁他可動哉於問公疾見上苔憫公如家人之視子姓也公之勞烈如是其大固有以感之獨推期運吾不信也丞曰子觀吾故物異他人之觀一似動色隱心者於霜露變時每閱省是物人雅謂子工文辭幸爲記吾得觀以慰吾慕思也故曰記衞公故物

養竹記

白居易

竹似賢何哉竹本固固以樹德君子見其本則思善建不拔者竹性直直以立身君子見其性則思中立不倚者竹心空空以體道君子見其心則思應用虛受者竹節貞貞以立志君子見其節則思砥礪名行夷險一致者夫如是故君子人多樹之爲庭實焉貞元十九年春居易以拔萃選及第授校書郎始於長安求假居處得常樂里故關相國私第之東亭而處之明日履及于亭之東南隅見叢竹於斯枝葉殄瘁無聲無色詢乎關氏之老則曰此相國之手植者自相國捐館他人假居繇是筐篚者斬焉篲帚者刈焉刑餘之材長無尋焉數無百焉又有凡草木雜生其中菶䔿薈蔚有無竹之心焉居易惜其嘗經長者之手而見賤俗人之目翦棄

若是本性猶存乃芟翳薈除糞壤疏其閒封其下不終日而畢於是日出有清陰風來有清聲依依然欣欣然若有情於感遇也嗟乎竹植物也於人何有哉以其有似於賢而人猶愛惜之封植之況其眞賢者乎然則竹之於草木猶賢之於衆庶嗚呼竹不能自異惟人異之賢不能自異惟用賢者異之故作養竹記書于亭之壁以貽其後之居斯者亦欲以聞於今之用賢者云

剸竹記 音果剸也出玉篇

劉寬夫

左史院近宸居之正地直日華之東偏俗塵不飛人意自遠閟邃幽閒似非官曹有竹一叢翠接階戺其虛中絜外之操蔭座袪煩之能紫微郎高公嘗賦之因以備盡然而歲月滋久蔓衍浸淫大小相依高下叢茂俾日光不透陰氣常凝暝色爲之早來陽春爲之減煦四序不正一庭常昏蚊虻曹飛雀鷇自遂披圖散帙觀覽不快二年冬侍軒之暇載筆之餘偶步庭除病其蔽翳因命斤斧將治其蕪沈吟卽時乃用申誡且謂其徒曰礪爾器用端爾瞻視謹爾操執愼爾區分其有質微而葉環茎薾者去之從風而不能自正者去之大而倚者去之聚而曲者去之篠而不能備筆簀之用者去之挺而不能棲鸞鳳者去之其有羣居不亂獨立自持振風發屋不爲之傾大旱乾物不爲之瘁堅可以配松柏勁可以凌雪霜密可以泊晴煙疏可以漏宵月嬋娟可翫勁挺不回者爾其保之旣而芟翦畢功繁蕪立盡去者存者邪正乃分不浹旬扶疏一林歷歷可見有清風滌慮之效曒日明焱之機檀欒風生韻合宮徵君子是以知竹箭之美尙科別之功卽其他不俟言而詳矣或以斯爲小可以伸之因紀一時之妙筆而述之

文粹卷第七十七

文粹卷第七十八

吳興　姚鉉　纂

箴誡銘 總四十一首

箴

誡

銘

文粹卷第七十八

吳興 姚鉉 纂

箴誡銘 凡[illegible]十一首

箴

大寶箴 張蘊古

丹扆箴六首 李德裕

[illegible]箴 [illegible]

大[illegible]箴 [illegible]

獄箴 [illegible]

縣令箴 [illegible]

王[illegible]箴 [illegible]

[illegible]箴 [illegible]

[illegible]箴 [illegible]

[illegible]箴 [illegible]

[illegible]箴 [illegible]

[illegible]箴 [illegible]

行己箴 [illegible]

[illegible]箴 [illegible]

誡

三誡 柳宗元

[illegible]誡 [illegible]

[illegible]誡 [illegible]

[illegible]誡 [illegible]

[illegible]誡 [illegible]

銘

幾銘 權德輿
門銘 盧仝
二銘 羅袞
櫛銘 盧仝
藏劍銘 潘存實
座右銘 白居易
猩猩銘 裴炎

大寶箴 張藴古

今來古往俯察仰觀惟辟作福爲君實難主普天之下處王公之上任土貢其所求具寮陳其所倡是故恐懼之心日弛邪僻之情轉放豈知事起乎所忽禍生乎無妄固以聖人受命拯溺亨屯歸罪於己因心於民大明無私照至公無私親故以一人治天下不以天下奉一人禮以禁其奢樂以防其佚左言而右事出警而入蹕四時調其慘舒三光同其得失故身爲之度而聲爲之律勿謂無知居高聽卑勿謂何害積小就大樂不可極樂生哀欲不可縱縱欲成災壯九重於內所居不過容膝彼昏不知瑤其臺而瓊其室羅八珍於前所食不過適口唯狂罔念邱其糟而池其酒勿內荒於色勿外荒於禽勿貴難得貨勿聽亡國音內荒伐人性外荒蕩人心難得之貨侈亡國之音淫勿謂我尊而傲賢慢士勿謂我智而拒諫矜己聞之夏后據饋頻起亦有魏帝牽裾不止安彼反側如春陽秋露巍巍蕩蕩恢漢高大度撫茲庶事如履薄臨深戰戰慄慄用周文小心詩之不識不知書之無偏無黨一彼此於胸臆捐好惡於心想衆棄而後加刑衆悅而後行賞弱其強而治其亂伸其屈而直其枉故曰如衡如石不定物以限物之懸者輕重自見如水如鏡不示物以情物之鑒者姸蚩自生勿渾渾而濁勿皎皎而清勿汶汶而闇勿察察而明雖冕旒蔽目而視於未形雖黈纊塞耳而聽於無聲縱心乎湛然之域遊神於至道之精扣之者應洪纖而效響酌之者隨深淺而皆盈故曰天之清地之寧

王之貞四時不言而代序萬物無言而化成豈知帝力而天下和平吾王撥亂戡以智力民懼其威未懷其德我皇撫運扇以淳風民懷其始未保其終爰述金鏡窮神盡聖使人以心應言以行包括治體抑揚詞令天下爲公一人有慶開羅起祝援琴命詩一日二日念茲在茲惟人所召自天祐之靜臣司直敢告前疑

丹扆箴六首 幷序　李德裕

臣聞詩云心乎愛矣遐不謂矣此古之賢人所以篤於事君者也夫跡疏而言親者危地遠而意忠者忤然臣竊念拔自先聖偏荷寵光若不愛君以忠則是上負靈鑒臣頃事先朝屬多陰沴嘗獻大明賦以諷頗蒙先朝嘉納臣今日盡節明主亦猶是心昔張敞之守遠郡梅福之在遐徼尚竭誠盡規不避尤悔況臣嘗學舊史頗知箴諷雖在疏遠猶思獻替謹稽首上丹扆六箴具列於後仰塵睿覽伏積兢惶

宵衣箴

先王聽政昧爽以俟雞鳴既盈日出而視伯禹大聖寸陰爲貴光武至仁反支不忌無俾姜后獨去簪珥彤管記言克念前志

正服箴

聖人作服法象可觀雖在宴游尚不懷安汲黯莊色能正不冠楊阜慨然亦譏縹紈四時所御各有其官非此勿服惟辟所難

罷獻箴

漢文罷獻詔還騄駬鑾輅徐驅焉用千里厥後令王亦能恭己翟裘既焚筒布則毀道德爲麗慈儉爲美不過天道斯爲至理

納誨箴

惟后納誨以求厥中從善如流乃能成功漢驁沈湎舉白浮鍾魏叡侈汰淩霄作宮忠雖不忤善亦從以規爲瑱是謂塞聰

辨邪箴

居上處深在察微萌雖有讒慝不能蔽明漢之孝昭叡過周成上書知詐照姦得情燕蓋既折王猷洽平百代之後乃流淑聲

防微箴

天子之孝敬遵王度安必思危乃無遺慮亂臣猖獗非可遽數立服莫辨觸瑟始仆柏谷微行豺豕塞路覩貌獻飧斯可戒懼

手詔答曰（上雖不能盡用德裕之言而特命翰林學士韋處厚殷勤草詔還荅亦可謂獎善納忠至矣）卿文雅大臣方隅重寄表率諸部肅清全吳化洽行春風澄坐嘯眷言善政想歎在懷卿之宗門累著聲績冠內庭者兩代襲侯伯者六朝果能激愛君之誠喻詩人之旨在遠而不忘忠告諷上而常深慮微博我以端躬約余以循禮三復規諫累夕稱嗟致之座隅用比韋弦之益銘諸心腑何啻藥石之功卿既已投誠朕每懷開諫苟有過舉無忘密陳山川既遐眷矚何已必當勉己以副深誠

瑞箴　孫朴

國之將興妖不足憑國之將亡瑞不足長四靈之長莫極於龍夏

德將衰曷降雌雄桑穀生朝殷道復昌麟出豈妖孔氏云亡周公相周越裳獻雉安漢相漢越裳復至白魚躍舟鸑鷟鳴岐殷人聚喜周人聚悲素靈夜哭五星聚緯秦謂之妖漢謂之瑞彼瑞此妖顛倒如是妖至而防瑞至而狂恃物滅德未或不亡我作此箴敢獻哲王

兵箴　梁肅

皇道無名帝始有征故效天殺作爲五兵曰王及霸功濟天下威實助德伐乃除禍逐鹿于原戰龍在野大寶臲卼非兵孰可動如決河靜逾滅火蒼蒼萬姓懸命在我所行者師所統者德功本乎義不本乎力順之曰聖逆之曰賊成敗存亡鮮不是則衆不足恃勝不足保武王一戎奄有九有紂之百克其卒無後故長民者無曰我強莫予敢亢尋邑百萬覆乎昆陽無曰我大莫予敢制陳吳攘袂嬴氏大潰武不可黷黷則必窮兵不可廢廢則終凶故曰天下雖平忘兵則危不教民戰是謂棄之齊桓矜衆九國以離徐偃

仁義本邦亦嚮傳美止戈易稱以律古之睿智神武不殺治亂之機繫於杪忽壯直且順孰云我遏旅臣斯箴敢告執鉞

太倉箴　李商隱

險哉太倉險若太行彼懸車束馬爲陟高岡此禍胎怨府起自斗量無小無大不可不防澄波萬頃不廢汪汪火烈人畏不廢剛腸易若寬猛處于中央衆穀之地勿言容易貪夫徇財有死無二御黠馬銜不得不利下或諛我過人之聰是人甘言將欲相聾下或誇我秋豪必睹是人甘言將欲相瞽長如欲戰莫捨强弩長如獲禽莫忘縛虎衆人之言有訛有眞如彼五味有甘有辛口自嘗取無信他人天生五色有白有黑目自別取無爲人惑而況乎九門崇崇近在牆東天視天聽惟明惟聰問龠合斗斛何以用銅取寒暑暴露不改其容亦象君子介然居中終日戰慄猶懼或失銜用何利鍛之以清虎用何縛按之以明弩用何射發之以誠俾後來居上無由以生有餘不足無由以爭心爲準槩何憂乎不直不平各敬爾職一洒心力倉中水外人馬勿食陶母反魚以之歎息豈無他粟豈無他芻薏苡似珠不可不虞倉中役夫千逕萬途桀黠爲炭雎盱爲鑪應事成象無有定模緣私指使愼勿以呼賓朋姻婭或來讌話倉中酒醴愼勿以貰海翁無機鷗故不飛海翁易慮鷗乃飛去是以聖人從微至著不遺忠恕借借貸貸此門先塞須防蒼蠅變白作黑嗚呼孰慮孰圖昔在漢家倉令湻于致令少女上訴無辜陷身至是不亦悲乎敢告君子身可殺道不可渝

獄箴　張說

官有決曹掌茲法獄匪惟議罪亦以防欲所貴仁恕非矜寬東吏苟吹毛人安措足古之爲主是戒是勖茫茫率土蠢蠢羣生賢愚中雜眞僞相傾若魚之駭如鳥之驚不能無犯宜持以平或大或小時重時輕無以快志期乎得情孰曰非重國之政令孰曰非輕人之性命虐則招咎寬則納慶宜愼宜恤可畏可敬爲獄則固爲牢則幽晨嚴管鑰夜密更籌寂寂圜土纍纍繫囚求食搖尾見吏

垂頭自昔立名此爲非所逼隘狹室歊傾漏宇冬有祁寒夏多隆暑焉可失入焉可妄處勿謂無妨勿謂無傷匹婦含怨三年亢陽匹夫結憤六月飛霜可以安危可以興亡敢告司憲無輕國章

縣令箴　古之奇

咨爾多士各司厥官政不欲猛刑不欲寬寬則人慢猛則人殘寬則不濟猛則不安小惡無爲涓流成池片言可用豪末將拱禍既有胎德豈無種鏡不自照祇能鑑物人不自知從諫勿咈欲不可縱貨不可黷黷貨生災欲縱禍速勿輕小人蜂蠆有毒勿輕小道大車可覆勿謂剛可長長剛者亡無謂柔可履履柔者恥剛强有時柔弱有宜時宜克念願在深思不恕而明不如不明不通而清不如不清無爲惡行無逆善名保此中道無成不成過客箴士冀申同聲如山之重如水之清如石之堅如松之貞如劒之利如鏡之明如弦之直如秤之平

縣令箴　元結

古今所貴有土之官當其選授何嘗不難爲其動靜是人禍福爲其嘘噏作人寒燠煩則人怨猛則人懼勿以賞罰因其喜怒太寬則慢豈能行令太簡則疏難與爲政既明且斷直焉無情清而且惠果然必行或曰關由上官事不自我辭讓而去有何不可誰欲字人贈君此箴豈獨書紳可以銘心

五箴并序　韓愈

人患不知其過既知之不能改是無勇也予生三十有八年髮之短者日益白齒之搖者日益脫聰明不及於前時道德日負於初心其不至於君子而卒爲小人也昭昭矣作五箴以訟其惡云

游箴

予少之時將求多能蚤夜以孜孜予今之時既飽而嬉蚤夜以無爲嗚呼予乎其無知乎君子之棄而小人之歸乎

言箴

不知言之人烏可與言知言之人默焉而其意已傳幕中之辯人

反以汝爲叛臺中之評人反以汝爲傾汝不懲邪而呶呶以害其生邪

行箴

行與義乖言與法違後雖無害汝可以悔行也無邪言也無頗死而不死汝悔而何宜悔而休汝惡曷瘳宜休而悔汝善安在悔不可追悔不可爲思而斯得汝則弗思

好惡箴

無善而好不觀其道無悖而惡不詳其故前之所好今見其尤從也爲比捨也爲讎前之所惡今見其臧從也爲愧捨也爲狂維讎維比維狂維愧於身不祥於德不義不義不祥維惡之大幾如是爲而不顚沛齒之尚少庸有不思今其老矣不愼胡爲

知名箴

內不足者急於人知沛焉有餘厥聞四馳今日告汝知名之法勿病無聞病其曉曉昔者子路惟恐有聞赫然千載德譽愈尊矜汝

文章貧汝言語乘人不能掩以自取汝非其父汝非其師不請而教誰云不欺欺以賈憎掩以媒怨汝曾不寤以及於難小人在辱亦克知悔及其既寤終莫能戒既出汝心又銘汝前汝如不顧辱則宜然

動箴　皮日休

動生於欲行生於爲欲則不妄爲則不疑吾道未喪于何不之勿生季世有爵必危勿居亂國有祿必尸往無市怨去無取嗤跡無顯露名無求知聲無取猜譽無致疑坦道如砥履過蒺藜四海如家去劇縶維日愼一日念玆在玆

靜箴

寘寘默默惟道之域處不違仁居無悖德勿欺孩孺衣冠失則勿慢皁隸語言成隙深山雖樂豺狼爾殛深林雖安虺蜴爾盤居不必野惟性之寂止不必廣惟心之適勿傲乎名要乎聘帛勿矯乎節取乎祿食躬雖已安若敵鋒鏑味雖已甘若含冰蘗成吾高風

惟靜之力

口箴　姚元崇

君子欲訥吉人寡辭利口作戒長舌爲詩斯言不善千里違之勿謂可復駟馬難追惟靜惟默澄神之極去甚去泰居物之外多言多失多事多害聲繁則淫音希則大室本無暗垣亦有耳何言者天成蹊者李似不能言爲世所尊言不出口冠時之首無掉爾舌以速爾咎無易爾言亦孔之醜敬之慎之可大可久敬之伊何三命而走慎之伊何三緘其口勖哉夫子行矣勉旃書之屋壁以代韋弦

視聽箴　沈顏

人一其視而不一其明故目有時盲人一其聽而不一其聰故耳有時聾蓋目之盲由物亂其睛耳之聾由聲惑其聰且玉者咸知其玉也石者咸知其石也而碔砆亂焉宮者咸知其宮也商者咸知其商也而鄭衛惑焉夫人者孰欲棄眞而取僞背正而歸邪諒

視不詳而聽不審耳俾視不詳而聽不審者豈不以碔砆鄭衛之故乎吁天下之大萬物之衆其亂目惑耳者非特碔砆鄭衛而已則知非聖賢其不惑於視聽者稀矣

自箴　元結

有時士教元子顯身之道曰于時不爭無以顯榮與世不佞終身自病君欲求權須曲須圓君欲求位須姦須媚不能此爲窮賤勿辭元子對曰不能此爲乃吾之心反君此言作我自箴與時仁讓人不汝上處世清介人不汝害汝若全德必忠必直汝若全行必方必正終身如此可謂君子

行己箴　李翺

人之愛我我度于義義則爲朋否則爲利人之惡我我思其由過寗不改否又何仇仇實生怨利實害德我如不思乃陷于忒內省不足愧形于顏中心無他曷畏多言唯咎在躬若市于戮慢誰自他匪汝之辱昔者君子惟禮是持自小及大曷莫從斯苟遠于此

其何不爲事之在人昧者亦知遷焉及己則莫之思造次不戒禍焉可期書之在側以作我師

暗室箴　歐陽詹

夫行以檢身非以爲人無淫無佚出處宜一孜孜碩人冥冥暗室罔縱爾神罔輕爾質達茲小惡念彼元吉勿謂傍帷上蓋天鑒無外勿謂後掩前扃神在無形天不長慝神實正直神怒天誅未始有極昔者趙盾假寐矜莊天迴厥害鉏麑已亡又有符堅竊爲制度神敗其類蒼蠅以呼天窺神窺人無不知神忿天忿身無所隱澗松抱節幽蘭以薰歲寒不變無人亦芬草木猶爾人其曷云戒愼乎其所不見恐懼乎其所不聞先師有言敢告夫君

三誡并序　柳宗元

吾恆惡世之人不知推己之本而乘物以逞或依勢以干非其類出技以怒強竊時以肆暴然卒迨于禍有客談麋驢鼠三物似其事作三誡

臨江之麋

臨江之人畋得麋麑畜之入門羣犬垂涎揚尾皆來其人怒怛之自是日抱就犬習示之使勿動稍使與之戲積久犬皆如人意麑麑稍大忘己之麋也以爲犬良我友抵觸偃仆益狎犬畏主人與之俯仰甚善然時啖其舌三年麋出門外見外犬在道甚衆走欲與爲戲外犬見而喜且怒共殺食之狼藉道上麋至死終不悟

黔之驢

黔無驢有好事者船載以入至則無可用放之山下虎見之尨然大物也以爲神蔽林間窺之稍出近之憖憖然莫相知他日驢一鳴虎大駭遠遁以爲且噬己也甚恐然往來視之覺無異能者益習其聲又近出前後終不敢搏稍近益狎蕩倚衝冒驢不勝怒蹄之虎因喜計之曰技止此耳因跳踉大㘚斷其喉盡其肉乃去噫形之尨也類有德聲之宏也類有能向不出其技虎雖猛疑畏卒不敢取今若是焉悲夫

永某氏之鼠

永有某氏者畏日拘忌特甚以爲己生歲直子鼠子神也因愛鼠不畜貓犬禁僮勿擊鼠倉廩庖廚悉以恣鼠不問由是鼠相告皆來某氏飽食而無禍某氏室無完器椸無完衣飲食大率鼠之餘也晝纍纍與人兼行夜則竊齧鬭暴其聲萬狀不可以寢終不厭數歲某氏徙居他州後人來居鼠爲態如故其人曰是陰類惡物也盜暴尤甚且何以至是乎哉假五六貓闔門撤瓦灌穴購僮羅捕之殺鼠如邱棄之隱處臭數月乃已嗚呼彼以其飽食無禍爲可恆也哉

冰壺誡并序

姚元崇

冰壺者清潔之至也君子對之示不忘乎清也夫洞澈無瑕澄空見底當官明白者有類是乎故內懷冰清外涵玉潤此君子冰壺之德也

玉本無瑕冰亦至絜方圓相映表裏皆澈喻彼貞廉能守其節凡今之人就列稱臣當官以割剝爲務在上以財賄爲親豈異夫象之有齒以焚其身魚之貪餌必曝其鱗故君子讓榮不憂辭滿爲珍以備其德以全其眞與其濁富寧比清貧吳隱酌泉麗參致水席皮洗幘緼袍空裏雖清畏人知而所知遠矣嗟爾在位祿厚官尊罔當聳廉勤之節塞貪競之門冰壺是對炯戒猶存以此清白遺其子孫

執秤誡并序

秤者衡衡天下之平也君子執之以平其心夫衡在天所以齊七政在人所以均萬物稱物平施爲政以公豪釐不差輕重必得是執衡持平之理也

聖人爲衡四方取則志守公平體兼正直用於天官銓綜斯得行於里閈紛競以息故南北以對左右以持秤物低卬不差豪釐使錙銖不惑輕重無疑智不能矯愚不能欺存信去詐以公滅私無偏無黨君子似之法者天下公器官者庶人之師其身既正不令

而行在下無怨唯上之平故曰上之所仰人皆其向我之所教人皆其效心苟至公人將大同心能執一政乃無失嗟爾多士欽哉勉旃庶以觀則同夫佩弦

執鏡誡 并序

執鏡取其明也夫內涵虛心外分明鑒物不可以匿詐體無得以逃形是以野鹿窺而慙山雞對而舞故君子是繪是畫置之座隅蓋將照姦回之心絕險詖之路也詩曰我心匪鑒不可以茹亦其理焉

秦樓明鏡鑒有餘暉色自凝曉光能洞微飾以聳組匣以珠璣龍遠池臥烏臨月飛傍入四鄰中延萬象濟物攸博利人斯廣握在帝心則宇宙融朗懸諸銓目（臣一作）則翹楚瞻仰且明不匿瑕君子是嘉不疲屢照君子是效嗟爾在職爲代作則刑不可濫政不可賊凡今之人鮮務爲德紛綸諂媚汩沒忠直當須如鏡之明斷可以平如鏡之絜斷可以決敢告後來無忝前哲

守戒 韓愈

詩曰大邦維翰書曰以藩王室諸侯之於天子不惟守土地奉職貢而已固將有以翰藩之也今人有宅於山者知猛獸之爲害則必高其柴楥而外施陷穽以待之宅於都者知穿窬之爲盜則必峻其垣牆而內固扃鐍以防之此野人鄙夫之所及非有過人之智而後能也今之通都大邑介於倔強之間而不知爲之備噫亦惑矣野人鄙夫能之而王公大人反不能焉豈材力有所不足歟蓋以爲不足爲而不爲耳天下之禍莫大於不足爲而不爲材力不足者次之不足爲者敵至而不知材力不足者先事而思則其於禍也有間矣彼之倔強者帶甲荷戈不知其多少其緜地則千里而與我壤地相錯無有邱陵江河洞庭孟門之關其間又自知其不得與天下齒朝夕舉踵引頸冀天下之有事以乘吾之便此其暴於猛獸穿窬也甚矣嗚呼胡知而不爲之備乎哉賁育之不戒童子之不抗魯雞之不期蜀雞之不支今夫鹿之於豹非不巍

然大矣然而卒爲之禽者爪牙之材不同猛怯之資殊也曰然則如之何而備之曰在得人

敵戒　柳宗元

皆知敵之仇而不知爲益之尤皆知敵之害而不知爲利之大秦有六國兢兢以强六國既除訑訑乃亡晉敗楚鄢范文爲患厲之不圖舉國造怨孟孫惡臧孟死臧恤藥石去矣吾亡無日智能知之猶卒以危矧今之人曾不是思敵存而懼敵去而舞廢備自盈祇益爲瘉敵存滅禍敵去召過有能知此道大名播懲病克壽矜壯死暴縱欲不戒匪愚伊耄我作戒詩思者無咎

幾銘　權德輿

太和熙熙而用之旁魄變化皆生乎幾上合乾道萬物陰騭下爲人紀百工咸秩游泳虛無合體渾區乃卷乃舒與羣有俱沖用爲工方寸爲鑪周行不殆造物何倖一以制動寡以理衆或行其道或藏其用盤桓利貞得時大行燮贊財成粲然文明舒亘八極藏之無形山川出雲元氣寘寘故曰知幾其神孔父周文去聖逺矣時無其人人見幾而作造形斯悟遽生可卷顏子殆庶物知至致節宣好惡無愆五事無汨百度靜之如淵運之如環得喪亂纆相望其閒不見其朕莫知其然審而用之吾道常全

門銘　按文苑英華門銘櫛銘皆繫羅袞作　盧仝

貪殘姦酗狡佞訐愎身之八殺背惠恃己狎不肖妒賢才命之四孽有是有此余敢辭無是無此余之師一日不見余心恖恖其人懼其人其交其難敢告于門

二銘并序　羅袞

黃帝作巾几之法孔甲有盤盂之誡太公陳觴鏡之銘所以昭成敗而防遺闕也袞不敢追跡聖賢輒取枕杖二物而爲之銘亦古之賤士不忘君臣之分也

枕銘

或枕或欹有安有危勿邪其思

杖銘

身之疲杖以扶之國之危賢以圖之

櫛銘　盧仝

人之有髮兮旦旦思理有身有心兮胡不如是

藏劒銘 并序　潘存實

曾得劒匣而不持或怪之乃荅曰直不可媚善不可害仁不可暴苟好是則利不在鋒鋩矣遂爲銘曰

龍入泉星上天雄雄神器蓄在人間於戲動不仁靜不德雖百鍊之鋼於愛身也奚力

座右銘 并序　白居易

崔子玉座右銘予竊慕之雖未能盡行常書于屋壁然其間似有未盡者因續爲座右銘

勿慕貴與富勿憂賤與貧自問道何如貴賤安足云聞毀勿慼慼聞譽勿欣欣自顧行何如毀譽安足論無以意傲物以遠辱於人

無以色求事以自重其身遊與邪分歧居與正爲鄰於中有取捨此外無疏親修外以及內靜養和與眞養內不遺外動率義與仁千里始足下高山起微塵吾道亦如此行之貴日新不敢規他人聊自書諸紳終身且自勖身沒貽後昆後昆苟反是非我之子孫

猩猩銘 并序　裴炎

酈元長水經注云武平封谿縣有獸曰猩猩猨形人面顏容端正學人語若與交言聞者無不欷歔其肉食之窮年無厭可以辟穀淮南子曰猩猩知往而不知來謂知人家往事及祖父名位阮汧云會使封谿見邑人云猩猩在山谷行常有數百爲羣里人以酒并糟設於路側又愛著屐里人織草爲屐更相連結猩猩見酒及屐知里人設張則知張者祖先姓字及呼名罵云奴欲張我捨爾而去復自再三相謂曰試共嘗酒及飮其味逮乎醉因取屐而著之乃爲人之所擒皆獲輒無遺者遂置檻中隨其所欲而飮之將烹里人索其肥者乃自推托泣而遣之左太冲吳都賦曰猩猩啼

而就烹里人以餉封谿令曰何物曰猩猩惟與酒兼之以屐可以就擒爾西國胡人取其血染毳罽色鮮不黯或曰若刺其血問之爾與我幾許猩猩曰二升果足其數若加之鞭捶而問之則隨所加而得至於一斗弗如此未肯頓輸張薦孝廉好古之士於笥中出此圖相示賓客客覽之曰悲哉此獸何其愚也有僧去塵在座謂諸賓客曰彼獸獸也夫何足云竊見人而以之會無悟矣四座引而問之曰夫財色名利溺人也曷若猩猩好酒乎爵賞祿位羁人也曷若猩猩愛屐乎饕餮致禍飾辭覬免者曷若猩猩推肥乎蘊利生孼死而無悔者曷若猩猩含血乎予奚獨悲此諸賓矍然改容而歎曰大哉高人之言也豈趨世利汨没名務者之所聞乎敬篆斯言以爲座右銘其銘曰

爾形惟猨爾面惟人言不忝面智不踰身淮陰佐漢李斯相秦曷若箕山以全吾眞

文粹卷第七十八

文粹卷第七十九

吳興　姚鉉　纂

書一 總八首

論政

上姚令公書　張九齡

月日左拾遺張九齡謹奏記紫微令梁公閣下公登廟堂運天下者久矣人之情僞事之得失所更多矣非曲學之說小子之慮所能損益亦已明矣然而意有不盡未可息區區之懷或冀見容亦猶用九九之術以此道也忍棄之乎今君侯秉天下之鈞爲聖朝之佐大見信用日渴太平千載一時胡可遇也而君侯既遇非常之主已踐難得之機加以明若鏡中運如掌上有形必察無往不臻朝暮羲軒之時何云伊吕而已際會易失功業垂成而舉朝之衆傾心前人之弊未盡往往擬議愚用惜焉何者任人當才爲政大體與之共理無出此途而曩之用才非無知人之鑒其所以失者皆緣情之舉夫見勢則坿俗人之所能也與不妄受志士之所難也君侯察其不苟附及不輕受就而厚之因而用之則禽息之首爲知己而必碎豫讓之身感國士而能漆至於合如市道廉公之門客虛盈勢比雀羅廷尉之交情貴賤初則許之以死殉體面俱柔終乃背之而飽飛身名已遂小人恒態不可不察自君侯職相國之重持用人之權而淺中弱植之徒已延頸企踵而至諂親

戚以求譽媚賓客以取容情結笑言談生羽翼萬事至廣千變難知其間豈不有才所失在於無恥君侯或棄其所短收其所長人且不知深旨之若斯便謂盡私於此輩其有議者則曰不識宰相無以得遷不因交遊無以求售明主在上君侯爲相安得此言猶出其口所以爲君侯至惜也且人可誠感難可戶說爲君侯之計謝媒介之徒卽雖有所長一皆沮抑專謀選衆之舉息彼訕上之失禍生有胎亦不可忽嗚呼古人有言禦寒莫若重裘止謗莫如自修修之至極何謗不息勿曰無害其禍將大夫長才廣度珠潛璧匿無先容以求達雖後時而自安今豈無之何近何遠但問於其類人焉廋哉雖不識之有何不可是知女不私人可以爲婦矣士不苟進可以爲臣矣此君侯之度內耳安用小人之說爲固知山藏海納言之無咎下情上通氣用和洽是以不敢默而已已也願無以人故而廢其言以傷君侯之明此至願也幸甚幸甚

答張九齡書　　　姚元崇

忽辱牋翰喜慰攸集退惟自省慙懼亦深實智力之所不逮也宜朝廷之所見責也僕本凡近之材素非經濟之具叨承過聽謬膺朝委自少及長從微至著惟以直道爲業匪以曲路期通歷官三朝年逾一紀凡所稱薦罕避嫌疑實有祁奚之舉非無許允之對則天之世已被流言行之有恒久而自辯近蒙獎擢倍勵駑庸每以推賢進士爲務欲使公卿大夫稱職豈陽嬌之或用及解狐之可爲而悠悠之徒未足矜察嗷嗷之口欲以中傷上恃天聰俯仗神道既不得奉身而退但知信心而前然顧無隱慝亦死爲分明矣猥惟不敏敬承厥休時當座銘永爲身寶元崇頓首

謝杜相公論房杜二相書　　柳冕

冕再拜上書相公閣下昨得蔣起居書伏承相公以冕論房杜二相書并答江西刑政論共四本以付史館冕惕然自失懼辱相公之厚意遂取舊本刪改數處愧無運斤之妙徒有傷手之責謹隨狀獻上退而自慙去年又續奉相公手疏以國家承文弊之後房

杜爲相不能反之於質誠如高論又以文章承徐庾之弊不能反之於古愚以爲不然故追而論之以獻左右且今之文章與古之文章立意異矣何則古之作者因治亂而感哀樂因哀樂而爲詠歌因詠歌而成比興故大雅作則王道盛矣小雅作則王道缺矣雅變風則王道衰矣詩不作則王澤竭矣至於屈宋哀而以思流而不反皆亡國之音也至於西漢揚馬巳降置其盛明之代而習亡國之音所失豈不大哉然而武帝聞子虛之賦歎曰嗟乎朕不得與此人同時故武帝好神仙相如爲大人賦以諷上讀之飄飄然反有陵雲之志子雲非之曰諷則諷矣吾恐不免於勸也子雲知之不能行之於是風雅之文變爲形似比興之體變爲飛動禮義之情變爲物色詩之六義盡矣何則屈宋唱之兩漢扇之魏晉江左隨波而不反矣故蕭曹雖賢不能變淫麗之體二荀雖盛不能變聲色之詞房杜雖明不能變齊梁之弊是則風俗好尙繫在時王不在人臣明矣故文章之道不根教化別是一技耳當時君

子恥爲文人語曰德成而上藝成而下文章技藝之流也故夫子末之是以四楊荀陳以德行經術名震海内門生受業皆一時英俊而文章之士不得行束脩之禮非夫兩漢近古猶有三代之風乎惜也繫王風而不本於王化至若荀孟賈生明先王之道盡天人之際意不在文而文自隨之此眞君子之文也然荀孟之學困於儒墨賈生之才廢於絳灌道可以濟天下而莫能行之文可以變風雅而不能振之是天下皆惑不可以一人正之今風俗移人久矣文雅不振甚矣苟以此罪之卽蕭曹輩皆罪人也豈獨房杜乎相公如變其文卽先變其俗文章風俗其弊一也變之之術在教其心使人日用而不自知也伏惟尊經術卑文士經術尊則教化美教化美則文章盛文章盛則王道興此二者在聖君行之而已冕再拜

上宰相書　陸長源

月日大中大夫守汝州刺史兼御史中丞本州防禦使陸長源謹

奉書相公閣下相公以命世之略應佐時之器發文苑之鴻猷繼台庭之盛業聖上傾心以待相公之啟沃天下側耳以待相公之政理豈得與房杜異日而不與蘇宋同年哉某比在朝廷接君子之步武聽哲人之語言區區之誠願盡於此今上聰明英武自漢魏已來賢君哲后未有如今上者自臨極已來宰相未有如房杜蘇宋者何偶聖之有期而得賢之無路蓋有以也夫誠人之失亦猶端其躬而後求影之直故宰相者導生人之本稽政化之源正辭以固之平氣以待之物有其官官得其人則提綱而網目張振領而毛裘舉至如移制度評軍國事關社稷者斯在宸衷猶望宰相自古況今獻可替否其餘朝廷之常典羣司之闕務弛張由於下筆指顧在於一言使政歸常典理革前弊和氣浹於下清風穆於上自然宰輔之事行弼諧之義暢何必捨其易而攻其難犯龍鱗之不測蹈虎尾而莫顧哉其宰相之寄也在於用賢賢不濫而人自理次於秉政政不撓而國自安用賢者除改是也秉政者賞

罰是也其用賢也絕黨與捨憎嫌使韋弦各施輪轅適用頃者之用人也聲利以撓其心愛惡而昏其識以枉為直破觚為圓除改出於門庭賞罰隨其情欲求道行事舉其可得乎且尚書六司天下之理本兵部無戎帳戶部無版圖虞水不管山川金倉不司錢穀光祿不供酒衛尉不供幕祕書不校勘著作不修撰官曹虛設祿俸枉請計考者假而為資養聲者藉而為地一隅如是諸司悉然欲求綱目張裘毛舉其可得乎此宰相之職也且棟傾者正之則屋無壓焉之懼疾甚者攻之則人無祲沴之患正傾在於良匠攻疾在於良醫故政化失諫臣得抗疏以論之敗累興憲官得持法而繩之諫臣須謇謇匪躬之士憲官須孜孜嫉惡之人今悉求溫潤美秀沈默弘寬者為之蓋北轅適楚圓鑿方枘欲求扶傾愈疾其可得乎貞元初兵戈初解蝗旱為災邑多逃亡人士殍餓至使官廚有闕國用增艱王制曰國無九年之蓄曰不足無六年之蓄曰急無三年之蓄曰國非其國也三年耕必有一年之食九年

耕必有三年之食以三十年之通雖有凶旱水溢民無菜色然後天子之食日舉以樂今歲豐年稔穀賤傷農誠宜出價以歛糴實太倉之儲豈可慢易於豐賤之日危急於凶荒之際比年國家和糴殆不得人文帳空存倉廩不實是由賞罰之典曠姦濫之吏生此亦宰相擇人之過也某之州戶口減一萬兵數無二千夏率供秋秋率供夏儻四氣或爽一歲無年實恐投姦有虞爲累非淺況率土州縣其事略同古人云旱則資舟雖在豐稔之時須爲凶險之備此亦宰相之職也蝗旱之時聖上憂畿縣彫瘵親擇臺省十人出爲畿令其後京畿稍理皆擢以大郡則聖上旌賢賞功之意也頃來度支勑符皆云刺史縣令以戶口減殿一人賦歛增最一人與者鶩騰於廊廟嫌者沈淪於草莽欲求其爲惡者懼爲善者勸其可得乎此宰相之職也況今北虜和親靡費轉甚西戎作梗邊鄙未安所望求方召之才選甘傅之將聯營朔裔復河外之城振旅湟中收隴右之地且田單匹夫也敗樂毅乘勝之師謝艾書生也破麻狄勁銳之卒豈有其時而無其人哉在用與不用耳此亦宰相之職也太宗得房杜貞觀之政成元宗得蘇宋開元之業泰今相公居廟堂之上當台衮之任與房杜蘇宋列於青史寧肯眤親愛行肺腑踵覆車之轍哉某齒髮向衰志力猶在遇賢相逢明時亦願一豁平生少展微分不然者老於泉石亦求仁而得仁

某再拜

賀崔相國書　權德輿

伏惟大方全德自中發外蘊爲志氣播爲事業然則阜庶生物操持化權結於衆心爲日固久且大賢之出處天下之否泰也故詔下之日人人相慶又早歲獲覩皇極綜論元德志孤雲賦淒風詩伏讀累日備見精慮之所至言理亂者多推世運於必然殊不知弛張變化存乎其人而已自古賢哲之徒或志尚不展鬱堙當世長歎痛哭於是乎作伏惟以常所感槩申於盛明使三辰光潤萬方軌道實在指顧豈逃轂中且以西漢公輔言之蕭曹以清靜熙

帝載亮平以謨明贊王業至宣帝時則魏相通故事邴吉知大體斯皆章章可言者也消夫張蒼之律厤孫弘之文章韋賢之好學平當之有耻然亦號爲賢相抑又次焉至若匡張孔馬服儒衣冠被阿諛之譏不勝其任最下則陶靑劉舍莊翟趙周之徒皆齷齪備位故身名偕泯夫此數子者豈不粗知君臣之道古今之變哉病於無所發明保持祿位而已有時無功可不謂大哀乎又古人有立德立功立言之訓顧惟多幸獲覽炳然之文又備承餘論有以見大君子遺辭發慮弘裕溥博者矣惟德與功實在今日洒天下之耳目復萬物於全性在文人踐而行之守而終之而已不宣

某再拜

論事於宰相書　李翺

凡居上位之人皆勇於進而懦於退但見己道之行不見己道之塞日度一日以至於黜退奄至而終不能先自爲謀者前後皆是也閤下居位三年矣其所合於人情者不少其所乖於物議者亦已多矣姦邪登用而不知知而不能去柳泌爲刺史疏而不止韓潮州直諫貶責諍而不得道路之人咸曰焉用彼相矣閤下尚自恕以爲猶可以輔政太平雖枉尺猶能直尋較吾所得者不啻補其所失何足遽自爲去就也竊怪閤下能容忍亦已甚矣昨日來高枕不寐靜爲閤下思之豈有宰相上三疏而止一邪人而終不信閤下天資畏慎又不能顯辯其事忍恥署敕內愧私歎又將自恕曰吾道尚行吾言尚信我果爲賢相矣我若引退則誰能輔太平邪是又不可之甚也當貞觀之初房杜爲相以爲非房杜則不可也開元之初姚宋爲相以爲非姚宋則不可也房杜姚宋之不爲相亦以久矣中書未嘗無宰相然則果何必於房杜姚宋況道不行雖皐陶伊尹將何爲也房杜姚宋誠賢也若道不行言不信其心所爲賢者終不敢不進其心所爲邪者終不敢不辯而許敬宗李義府同列用事言信道行又自度智力必不足以排之矣則將自引而止乎將坐而待黜退乎尚自恕苟安於位乎以閤下之

明度之當可知矣凡慮己事則不明斷他人事則明己私而他人公勇易斷也承閤下厚知受奬擢者不少能受閤下德而獻盡言者未必多人幸蒙以國士見目十五年餘矣但欲自竭其分耳聽與恠在閤下裁之而已

上崔相公書

劉軻

當今帝堯在上夔龍爲相犬戎新逐三晉四戰之地無梟雛狠子是宜徼福者爭歸賀於相國某獨不敢以是心同衆人之唯唯思有以一跪吐而未果者誠以相門尊高非布衣可以私謁其或關衡石輕重非先書導誠素則無以爲也然而潛是心不爲身有所祈輸誠於相公得不以常常之心憐其持意邪陸生有言曰天下安注意相今屬兇孽新夷泰階初平天下之懸懸其心復魏文貞房梁公姚梁公宋開府致太宗元宗故事若嘘嬰兒待哺塞是望者獨相公是以聞相公以是爲心即房宋不死二宗之道盡得施於上矣語不云乎雖有鎡基不如乘時自用武以來至于今日不

謂無時得其時而不乘之以貞觀開元治平之勢則勢之過如發矢耳此所以爲相公惜是時之難再也且天下欲上如二宗待相公而肖之耳今相公豈不待天下之士而坐爲房宋者也又非有其時無其人人與時偕有矣豈可厚誣多士謂無一可與言房宋故事者邪昔宓不齊邑不方百里師五老而友二十八人齊桓公爲諸侯盟主有坐友三人諫臣五人舉過者三十人周公相成王躬吐握之勞所執贄於窮閻隘巷者七十人彼一聖二賢挈下戴上非獨責成其心而天下之人故至于今稱爲聖賢況當相公首築太平之基焉知夫有心者不磨勇養氣待相公呼而出之耳今云云論者見犬戎退邊不數十里便謂邊無可虞虜無能爲見趙魏之地死一帥易一將便謂天下無事廟堂可以高枕此豈知相公第欲因前之無事不欲爲巍巍蕩蕩之績乎抑軻聞宰相之事必以天下爲言以衡石言之豈不資天下錙銖輕重爲平準者邪以鼎實言之豈不資天下水陸飛走爲滋味者邪若軻者雖有生

之微豈不資衡鼎之一物乎伏念自知書來恥不爲章句小說桎梏聲病之學敢希趾遐蹤切慕左邱明揚子雲司馬子長班孟堅之爲書故北居廬山亦常有述作幸當相公調元厚生之次不使一物不遂其性一夫不獲其心是宜天下褐衣之徒孤立藝進之秋也謹獻所嘗著隋監一卷右史十卷伏希樞務之暇賜一覽讀恩幸恩幸軻恐懼再拜

再上崔相公書

劉軻謹再拜相公閤下先獻書三日軻將出通化門其心遲遲然若虛其腹如未厭其食者且曰今嗣聖重光相公登庸天下褒誠蓄志之士將不遠千里願獻計於相府者固多矣適會其時得觀光輦下云欲出東門歸江湖業爲儒生閱天下利病苟無一詞聞天下善否將何以見江漢之士故退於逆旅思有以效誠於相公者伏念挈缾負薪之言古人不遺相公其遺邪某自惟輟耕窮書或得侍坐於搢紳長者洎屬文篤說之士每議及國朝相府閒事

言貞觀則房魏言開元則姚宋自貞觀數十歲至開元中閒豈無房魏之相邪自開元數十歲至于今中閒豈無姚宋之相邪何說者局於四而不至於五六邪豈無繼之者力不足而追不及邪將力足追及而曰非大有爲之時而不能爲之者邪某嘗試言之矣夫北轅適楚南轅適晉是不可到日暮途遠是豈力不足追不及邪不繇其道故也然則非說者不屈指五六而局於四也古天子以天下事歸於相府相府以天下事爲己任故伊尹自負以天下之重周公亦潛心在於伊尹耳故曰周公兼三王以施四事夫周公之潛心於伊尹而不愧乎伊尹獨伊尹恥其君不及堯舜故其心愧恥夫其存心直下千歲無人嗣續惟梁公鄭公高視千載之上始潛心於伊尹且亦惟恐太宗不及堯舜故得謚以經緯天地曰宗爲不祧之廟至姚公宋公又潛心於房魏亦惟恐玄宗不及太宗故致時雍復貞觀治平之風焉某請梗槩姚宋舊事而言之諸說以姚之爲相也先有司罷冗職修舊法百官各盡其才又奏

請無赦宥無數遷吏無任功臣以政於是上責成於下下權歸於上上下交而天下泰矣故曰姚善應變所以成天下之務宋之爲相也以彌綸爲己任亦以筆硯專隨故曰宋善守文所以持天下之正繇是四十年間威振四海教加百姓政歸有司綺繻羅紈之家請謁不行而戚里束手矣故生於開元天寶之間自幼迨強仕女有家男有室耳不聞鉦鼓目不識兵革故玄宗無爲恭事玄默而已矣今上新嗣大位相公新揭大柄必欲盡天下善美以調和鼎味冀所以沃天心而福衆庶也某知相公固亦潛心於姚宋亦恐聖君不及玄宗焉夫姚宋潛心於房魏而已無愧於房魏今相公已潛心於姚宋詎得有愧於姚宋邪夫惟無愧實在應變成務守文持正踐其跡必至其所至俾後人之談者自四公而加相公爲相公必以是爲心某知相公未得高枕於廟堂之上者有四矣孔子曰不患寡而患不均今緣邊八鎭之士聞六軍之人坐以受賜莫不開口以待哺將欲賈餘勇以壯邊勢惟恐不厚於六軍之

賜矣此亦賞過乎功者不得不搖心也非所謂至賞不費賞明而教行者也此某竊謂相公未得高枕於廟堂之上一也聖上自儲副卽祚蓋三代不刊之事雖巷兒街童知其必然彼貪天之功者以爲房間永巷北宮貞伯子之能事必陰教是謀出一時之策畫寵以懷黃垂組不謂無恩矣脫或天光獨私恩無與對使權量天下輕重以專備顧問雖賢如史游納忠勤心恐必漸宏恭之勢矣古之賢聖遏禍於未芽芽而滋之根著而不可拔矣此某竊謂相公未得高枕於廟堂之上二也昔西京初留侯譏高祖表用蕭曹故人東漢初鄧禹戒光武以功臣專任貞觀初太宗自秦府登極有上封事者請以秦府舊兵追入宿衛太宗曰朕方以天下爲家惟才行是取何新舊爲夫以一家國爲言誰能無私必以天下爲言孰非王人而以家國之私於天下也范曄云舉德則功不必厚奉勞則人或匪賢必處非其地非所以優貸而見惜其功也故姚宋所以無任功臣以政其在茲乎是以門開誰與長閉此某竊謂

相公未得高枕於廟堂之上三也日者有自邊兵來曰凡事閱於目而可寘於口非鑿空架虛事游談者也且國家所以禦戎狄爲邊垣者朔方爲大夫朔方去戎虜不數百里而近使胡塵不至於亭障者實以邠涇之鎭虜不敢東顧自燕盜已來惟朔方多軍功內以遏不軌外以拓胡虜故朔方之於朝廷雖手足之扞頭目不是過也比者姦回秉政司計者析秋豪以刻肌骨非紅粟腐帛不及於邊兵無襯甲之服以赤肉冒流矢者駢門皆是統率者雖章連十上帝閽九重留中莫聞至有抽刃垂頸祝殤禱死貴爲節制猶無繆若是矧責由卒隸尙安能固其生與戎狄攻鬬邪今釣怨者旣逐新恩已大洽相公必深惟前弊思有以矯之之術以廟算決勝授成策於邊將者古人以天下喻一身以四邊同支體以中國視心腹支體有疾心腹安得無憂乎善言邊兵者以河隴不如燕薊燕薊不如朔方朔方軍之地連險小雜虜俗習騎射繫軍者非其父兄則其子弟故所以無對於諸軍矣今之存者皆諸軍遷徙或叛孽殘寇之餘遠鄉里別妻子執戈臥甲坐不遑暖胡塵一起連頭應召必無美利以啗其欲必無爵賞以磨其勇以之防塞可謂連雞矣此某竊謂相公未得高枕於廟堂之上四也古之相天下者獨勞一身役一心範天地而俾無遺事於天下也蓋存乎任使而已矣傳曰使智者慮義者行仁者守又曰使智者佐仁者此舜所以穆四門而貞元首者也某所以首多士之伍進希相公必首而納之然後開平津之閣待白屋之士且問曰計安在知致理致君之策駢肩出於門下矣若然者吾君不愧於二宗相公不愧於四公何有力足以追而曰非其時而不爲之者邪此小生汲汲於私心誠在乎此竊欲使後之秉史筆者直書蕭相國故事亦以無愧辭於史官焉某不勝區區之志唐突尊重伏惟矜其意而宥其罪某恐懼再拜

文粹卷弟七十九

文粹卷第八十

吳興 姚鉉 纂

書二 總一十首

論兵

勸裴相不自出征書 李翺

三兩日來皆傳閤下以淄青未平又請東討雖非指的或慮未實萬一者有之只可先事而言豈得後而有悔且如房杜姚宋時政大耀而無武功郭汾陽二李太尉立大勳而不當國政閤下以舍人使魏博六州之地歸矣自秉大政兵誅蔡州久而不克奉命宣慰未經時而吳元濟生擒矣使一布衣持書涉河而王承宗恐懼委命割地以獻矣自武德已來宰相居廟堂而成就功業者未有其比是宜以功成身退養德善守為意柰何如始進之士汲汲於功名復欲出征以速平寇賊之為事邪自秦漢以來亦未嘗有立大功而不知止能保其終者卽韓侍中親率重兵以壓境矣田司空深入賊地以立功矣凡人之情亦各欲成功在己唯恐居下顧宰相銜命領三數書生指麾來臨坐而享其功名奪人之功不可一也功高不賞不可二也兵者危道萬一旬月不卽如志是坐棄前勞不可三也凡三事昭灼易見豈或事在於己而云未熟邪伏

望試以狂言訪于所知之厚者意切辭盡不暇文飾伏惟少賜省察翺再拜

上安邑李相公安邊書　林藴

愚嘗十分天下之事知其弊者太半二年冬輒獻書思相公正而行之嗟乎無位而言輕相公猶未爲行其切者國家有西土猶右臂也臂之附體豈不固歟臂之不存體將安舒愚以此輒敢重陳利病思相公念而行之當昔漢室彼爲内府囊槖走馬曾不虛日咫尺萬里煙塵不動是以司馬遷班固得弄刀筆夸大漢功德炳然與三代同風洎房杜佐太宗文皇帝剗革凶孽天下廓清姚宋佐玄宗明皇帝聲明文物照耀殊俗後之輔弼不能嗣守故我疆我理腹（一作咯）於犬羊嗚呼今所殘者惟北抵豳郊西極汧隴不數百里則爲外域可不痛哉可不惜哉且馭馬者必右執策左執綏恐其有非常之患也儻若臂不勝力體不安坐則踶齧立至豈惟泛駕乎此事雖小可以喻大相公得不念之乎愚嘗出國西抵于

涇原歷鳳翔過邠寧此三鎮得不爲右臂之大藩乎自晝藩維捄旋鉞者殆數十百人惟故李司空抱玉曾封章上聞請復河湟事亦旋寢功竟不立爾來因循誰復尸之故朝受命而夕寢行日貴富而月驕慢跨廣衢而羅甲第指長河而固肩嗣士卒窮年不離飢寒以月繫時力供主將死則已矣賞終不及如棄鳥獸附於藪壤故死者飲恨於地下生者吞聲於邊上五十餘年無收尺土之功者豈朝廷不以爲慮乎命將不得其人乎愚以此竊知不惟土地未可復且慮犬戎馳突不一日二日則彼三鎮强者閉壘自守弱者棄壁而逸豈暇爲國家以御戎虜乎愚所謂臂之不存體將安舒今刁斗不聞煙塵不飛蓋宗社之靈也豈禦守者之有功乎且食租則可以備飢衣稅則可以禦寒衣食足然後可以教攻戰朝廷旣切念邊軍不遑終夕飛芻輓粟常恐後期然而荷戈負戟者終歲飢寒其來已久時莫能更雖度支有兼知之名節度有營田之目皆以貨利相誘彼貿公之資僣悉皆和糴斗粟必欺於丈

素一言可致其羸金如此則士卒不得不飢寒將帥不得不奢侈欲其攻戰其可得乎此所謂借寇兵而齎盜糧也其可謂之禦戎乎伏料相公亦已垂意矣愚竊謂弊既久矣可革而化之化之之術在相公暫迴頃刻之慮思之思之得人則如班超之儔不難得也相公必命將取其封錫已榮者則封錫已榮矣彼復何求以此戰不勉攻不得何莫不由斯人之徒歟因此言之則又不唯安邊之未得人也相公必以爲人不易知儻斷然有一介之士敢露肺肝相公復能特達獎拔俾爲千夫之長得以自置於秦隴之外接彼犬戎之域三歲考績能則優獎否則孥戮已乎此賈生終童感激於前跡其慷慨不爲不至蓋時之不見信也不知相公以愚此言爲率爾乎以其斷然一介之士亦能成功立事乎且天下巖居谷隱之人悉皆有心但用與不用也假如登奉常之第者未必盡能文章爲牙門之將者未必盡能威敵況漢之爲漢多有異材豈唐之爲唐獨無奇士也伏惟圖之

某再拜伏以大儒在位而未有不知兵者未有不能制兵而能止暴亂者未有暴亂不止而能活生人定國家者自生人已來可以屈指而數也今兵之下者莫若刺伐之法詩大雅維清奏象舞之篇曰維清緝熙文王之典迄用有成維周之禎象者象武王伐紂刺伐之法此乃文王受命（受殷王專征之命也）七年五伐留戰陣刺伐之法遺之武王武王用以伐紂而有天下致之清平爲周家之禎祥周公居攝祀文武於淸廟作此詩以歌舞文武之德其次兵之尤者莫若鉤援衝壁今之一卒之長不肯親自爲之詩大雅周公皇矣美周之詩曰以爾鉤援以爾臨衝以伐崇墉臨衝閑閑崇墉言言此實文王伐崇墉傅于其城以臨車衝鉤援其城文王親自爲之夫文王何人也周公詩之夫子刪而取之列于大雅以美武王之功德手弦而口歌之不知後代之人何如此三聖人安有謀人之國有暴亂橫起戎狄乘其邊坐於廟堂之上曰我儒者也不能知

兵不知儒者竟可知兵乎竟不可知兵乎長慶兵起自始至終廟堂之上指蹤非其人不可一二悉數高宗朝辟仁貴攻吐蕃大敗於大非川仁貴曰今年歲在庚午不當有事于西方此乃鍾鄧伐蜀身誅不反昨者誅討党羌徵關東兵用於西方是不知天道也邊地無積粟師無見糧不先屯田隨日隨餉是不知地利也兩漢伐虜騎兵取於山東所謂冀之北土馬之所生馬良而多人皆騎戰非山東兵不能伐虜昨者以步騎百不當一是不知人事也天時地利人事此三者皆不先計量短長得失故困竭天下不能滅樸樕之虜此乃不學之過也不教人戰是謂棄之則謀人之國不能料敵不曰棄國可乎某所注孫武十三篇雖不能上窮天時下極人事然上至周秦下至長慶寶厤之兵形勢虛實隨句解析離爲三編輒敢獻上以備閱覽少希鑑悉苦心即爲至幸伏增惶惕之至某頓首再拜

上司徒李相公論用兵書

伏覩明詔誅山東不受命者廟堂之上事在相公雖尊俎之謀算畫已定而賤末之士芻蕘敢陳伏希捨其狂愚一賜聽覽某大和二年爲校書郎曾詣淮西將軍董重質詰其以三州之衆四歲不破之由重質自誇勇敢多算之外復言其不破之由是徵兵太雜耳徧徵諸道兵士上不過五千人下不至千人既不能自成一軍事須帖附地主名爲客軍每有戰陣客軍居前主人在後勢羸力弱心志不一既居前列多致敗亡如戰似勝則主人引救以爲己功小不勝則主人先退至有殲焉初戰二年已來戰則必勝是多殺客軍及二年已後客軍殫少止與陳許河陽全軍相搏縱使唐州軍不能因雪取城蔡州兵力亦不支矣其時朝廷若使鄂州壽州唐州祇令保境不用進戰但用陳許鄭滑兩道全軍帖以宣潤弩手令其守隘即不出一歲無蔡州矣今者上黨之叛復與淮西不同淮西爲寇僅五十歲破汴州襄州襄城盡得其財貨輸之懸瓠復敗韓全義於溵上多殺官軍四萬餘人輸輦財穀數月不盡

是以其人味爲寇之腴見爲寇之利風俗益固氣燄巳成自以爲天下之兵莫我與敵父子相勉僅於兩世根深源闊取之固難夫上黨則不然自安史南下不甚附隸建中之後每奮忠義是以郳公抱眞能窘田悅走朱滔常以孤窮寒苦之軍橫折河朔强梁之衆貞元中節度使李長榮卒中使提詔授與本軍大將但軍士附者卽授之其時大將來希皓爲衆所服中使將以手詔付之希皓言於衆曰此軍取人合是希皓但作節度使不得若朝廷以一束草來希皓亦必敬事中使言面奉進止祇令此軍取大將授與節鉞朝廷不別除人希皓固辭押衙盧從史其位居下因潛與監軍相結超出伍曰若來大夫不肯受詔某請且句當此軍監軍曰盧中丞若肯如此此亦固合聖旨中使因探懷取詔以授之從史捧詔再拜舞蹈希皓迴揮同列使北面稱賀軍士畢集更無一言從史邇後漸蓄姦謀養義兒三千人日夕煦沫及父虔死軍士留之表請起復亦祇義兒與之唱和其餘大將王翼元烏重胤第五釗等及長行兵士並不同心及至被擒烏重胤坐於軍門喻以禍福義兒三千一取約束及河陽取孟元陽爲之統帥一軍無主僅一月日曾無犬吠況於他謀以此證驗人心忠赤習尙專一可以盡見及元和十五年授與劉悟時當幽鎭入覲天下無事柄廟算者議必銷兵雄健敢勇之士百戰千攻之勞坐食租賦其來巳久一旦黜去使同編戶紛紛諸鎭停解至多是以天下兵士聞之無不忿恨至長慶元年七月幽鎭乘此首唱爲亂昭義一軍初亦鬱咈及詔下誅叛使溫起居造宣慰澤潞使令發兵其時九月天氣巳寒四方全師未須中冬衣服聚之授詔或伍或離垂手强項往往辞語及溫起居立於重榻大布恩旨幷疏昭義一軍自七十餘年忠義戰伐之功勞安史巳還叛逆滅亡之明效辭語旣畢無不懽呼人衣短褐爭出效命其時用兵處處敗北惟昭義一軍於臨城縣北同果堡下大戰殺賊五千餘人所殺皆樓下步射搏天飛者賊之精勇無不殲焉賊中大震更一月日田布不死賊亦自潰後

一月其軍大亂殺大將磁州刺史張汶因劫監軍劉承階盡殺其下小使此實承階侮媟一軍侵取不已張汶隨王承元出於鎭州久與昭義相攻軍人惡之汶既因依承階謀欲殺悟自取軍人忌怒遂至大亂非悟獨能使其如此劉悟卒從諫求繼與扶同者祇鄆州隨來中軍二千耳其副倅賈直言入責從諫曰爾父提十二州地歸之朝廷其功非細祇以張汶之故自謂不絜淋頭竟至羞死爾一孺子安敢如此從諫恐悚不敢出言一軍聞之皆陰然直言之說値寶曆多故因以授之今纔二十餘歲風俗未改故老尙存雖欲劫之必不用命伏以河陽西北去天井關强一百里(關屬澤州)關隘多山井不可鑿雖有兵力必恐無功若以萬人爲壘下窒其口高壁深塹勿與之戰忽有敗負勢驚洛師蓋河陽軍士素非精勇戰則不足守則有餘成德一軍自六十年來世與昭義爲敵訪聞無事之日村落鄰里不相往來今王司徒代居反側思一自雪況聯姻戚顧奮可知六十年相讎之兵仗朝廷委任之重必宜盡節以答殊施魏博承風亦當效順然亦止於圍一城攻一堡刋木堙井係纍稚老而已必不能背二十城長驅上山徑擣上黨其用武之地必取之策在於西面今者嚴紫塞之守備謹白馬之隄防祇以忠武武寧兩軍以靑州五千精甲(二齊兵靑州最勁)宣潤二千弩手由絳州路直東徑入不過數月必覆其巢何者昭義軍糧盡在山東澤潞兩州全居山內土瘠地狹積穀全無是以節度使多在邢州名爲就糧山東糧穀既不可輸山西兵士亦必單鮮擣虛之地正在於此後周武帝大舉伐齊路由河陽吏部宇文弢曰夫河陽要衝精兵所聚盡力攻圍恐難得志如臣所見彼汾之曲戍小山平用武之地莫過於此武帝不納無功而還後復大舉竟用弢計遂以滅齊前秦苻堅遣將王猛伐後燕慕容偉大破偉將慕容評於潞州因遂滅之路亦由此北齊高歡再攻後周路亦由此而後周名將韋孝寬齊王攸常鎭勳州玉壁城(今絳州稷山縣是也)故東西相伐每由此路以古爲證得之者多以某愚見不言劉稹終不能取貴

欲速擒免生他患昨者北虜纔畢復生上黨賴相公廟算深遠北虜即日敗亡儻使北虜至今尚存沿邊猶須轉戰迴顧上黨豈能討除天下雖言無事若上黨久不能解別生患難此亦非細自古皆因攻伐未解旁有他變故孫子曰兵聞拙速未睹巧之久也伏聞聖主全以兵事付於相公某受恩最深竊敢干冒威嚴遠陳愚見無任戰汗某頓首再拜

上宰相元衡弘靖書　林蘊

陸賈有言天下有事屬在將天下無事屬在相伏惟相公兼將相之重任執殺生之大柄蘊亦竊被教化忝在陶鈞之內四海安平某則與歌虞贊魯之人爲儔苟有妖孽某安敢不隳裂肝膽爲相公之腹心乎愚者千慮或有一得伏願相公少賜採擇焉道路云云以爲淮西兇黨侵犯疆鄙某伏料相公制置如在諸掌矣然則舜有天下闢四門明四目達四聰欲天下之誠畢見矣平津侯開東閤以延天下士欲天下之美惡畢知之矣伏惟相公抱赫赫濟

時之略佐明明聖上之朝某切願相公以平津之德致聖上廣帝舜之道使天下之事可重而實諸掌則淮西之寇不足以爲患矣某幼讀書不求甚解但見古人之有建功立事者心則慕之以是十試藝於春闈竟不成名今爲河朔一從事耳苟不自言其誰爲言於相公乎且人生天地之間必合達天地之性苟違天地之性者是天地之棄物也今淮西兇黨是天地已棄之物相公誠順天而誅可不偉歟某竊聆議者謂淮西兵强不與恒鄆兩軍犄角相應此皆腐儒豎子之言不足與相公計大事何者自兵興已來僅六十年人皆尚武各思功業彼或有逆此則有順以順討逆往無不克爰自國初垂二百年時有悖逆孰爲存者今天下藩鎮六十甲士百萬雖有依違未盡化者不四三所耳議者若以爲申說言淮蔡必强則陳許安得而弱乎況以人敵人彼亦人也以兵刃敵兵刃彼亦兵刃也或示其弱則過不在士卒伏計此事以經相公心矣某請徵四年冬出師討恒陽之事明之初王承宗阻兵盧從

史潛應天兵欲進賊必知之況內邱與臨城祇二十里北爲賊境南是天兵兩處傍山俱置死地堯山與高邑共據一川若盧從史必議引兵直進則趙州高邑立可屠之此既不備彼又得計豈謂賊勢彊而天兵弱邪德宗朝韓全義統師自取退恧蓋緣淄青諸道悉會用兵所謂闒茸盜糧不得不敗且兵以售死爲效國以厚錫爲誠某竊知比者行營師徒苦役錫賫納於將帥饑寒加於士卒欲其破虜其可得乎又朝廷獎用多藉舊人蓋取官崇或言望重殊不料彼已崇重更復何求以此取人往往皆失某輒賀相公昨者制置已得其人則陳許李光顏安州李聽唐州田秀誠功忠的立某亦素諳伏願相公任之不疑各委兵柄但絕常鄭兩處莫許知聞其餘連城惟在感激人一其性豈不易圖如此則相公之功不後郭尙父李令公之功也豈佐商輔周之德獨專美於前歟議者若以爲恒冀強梁相公則有魏博澤潞制之矣淄青暴慢相公則有梁宋徐泗制之矣以天下無限之勇士破淮西有數之兇

賊孰謂不可然則某又切願相公用其勇敢之士分巡諸道將帥有不用命者許以軍法按之士卒有被飢寒者以其赤子保之如此則忠勇奮起姦謀自殄倒戈脫劒不日可期某久歷險難多見成敗比被劉闢欲殺無人薦論本使程僕射入朝之時再三邀請某以謂已出萬死固求一伸窮困蹉跎竟無知者程僕射禮惠逾厚某又愛彼功名至元和十六年方受奏請既奉恩詔兼授憲官心期佐戎必擬立事自到河北首末四年孥情所難某意獨易蓋以朝廷典法率而行之道路皆知無不驚駭況留家口並不將去今年八月內蒙程僕射薦歸闕庭幾欲半年未蒙公論伏以西南東北兩處從軍自執庸愚不失誠節今當相公舉直之日是某幸得盡言之秋仰望陶鈞置諸倫品彔遠之道此爲事先不宜某再拜

上宰相安邊書　李觀

維初乾之精坤之靈播五行爲五常而中華之人得之離四氣爲

四方而蠻夷胡貊得之五行合而成至和故宅中四氣偏而爲匪人故在邊是亦太極造世之智玄黃冥成之心者乎故聖人乘五行而允釐作九圍而外之五帝三皇禹湯已來不聞深入之征不絕薄伐之師殆玁狁鴻龐之風未甚流沖漠之澤未甚醨周秦之閒天下始勞前有涇陽之侵踵有長城之徭周人逐之而已不常爲心秦人罔知天命連兵而瞀瞀至於逆三靈掊生人元元蜩螗魁傑駿奔始圖備胡之術卒覆守邦之人秦之弃萬祀鏡哉漢孝武承業之盛負才之雄險函夏鮮黎蒸將郛窮荒而寓不鄰揚威四臨霆發電流歷載五六功患相儔訾詘慮殫兵老釁仍于時乃交和親之問還奔命之勤然已天下懸磬君臣與謀遂有鹽鐵車船權酤六畜之租興危矣哉不居之地不牧之人何苦如是哉矧乃乘秋之虜常存討虜之賦不除漢之事亦萬祀鏡哉噫惟皇唐操璇璣馭民而統天將二百齡朝更九聖運開中興縱橫六合上下天淵蜚馳之倫莫不被仁獨犬戎跳梁猾我右陲儒之策曰和親

武之議曰裲兵和親則易攜裲兵則厚亡九聖之君前後病之然屬三方乂安悉力一隅則右臂可斷六贏可俘太宗玄宗之時也厥後內寇數動國家一罷虜滋新謀土刓舊封伊頃迄今有加無瘳豈負鼎虧折衝之資推轂無封疆之忠志士仁人是以累息而長吟且周曰玁狁秦曰胡漢曰匈奴然實非二蓋隨國而名之於今則曰吐蕃則正居庚方涉河而北履海而西宇宙絕徼羌戎全區亦不可得而制可斥而遠之觀今不能制也信矣斥之則何宜橫戎所向不廣千里扼盜之衝不越十處擇一虎臣練萬虎賁使制得自專權得自縱夫兵有專制則畢力將無分權則成功是則陰山可復泣虜陽關可復隔戎何邊之不安焉今聖人朝在明堂晚在法宮左右進退焉得知安邊之要哉雍熙大臣苟以小者近者爲懷不遑復思祟九廟之原哉且國家思復三方之民得以養之區區然如懼不周而忿生然寒卒飢徒終自有之愚竊恐戎無卻年矣邊無安期矣財有盡朝矣何者今國家一垂控戎累所暴

兵兵不問堪將不擇良當守者爭險易當攻者避役先寇之來則棄民而相保寇之去則冒賞而稱庸此所謂戎無御年矣夫戰陣多將則勢離攻守多將則不支以其勝不得盡有敗不得獨受故也至今聞有築城於虜蹊遷民於虜濱城適罷而寇窬民未居而囚拘彎弓者御行蒙甲者退避此所謂邊無安期矣且虜不可以無兵而威兵不可以不戰而歸故明主得下征蒼蒼之產將軍得外娛悠悠之師此所謂財有盡朝矣然三患始萌一言尙平欲戎之可御也不願多分節與人願擇一人敢以近言之則開元朝哥舒翰之將是也欲邊之可安也不願歲更四方之兵願因其兵敢以古言之則漢晁錯之策是也欲財之不盡也不願衣食供給山東願開邊田敢以古言之則趙充國之奏是也此則兵不得娛無功虜不得候折膠國不得殫下民胡不請用周漢之策範孫子之謀哉又竊覩與北狄和親帝女下嬪實國家思往來之績垂不臣之姻然聞烝報且數貪惏無厭而主上年必遣使使必備珍得無

費乎得無勤乎不知將尋鄭人伐胡之義復探賈生五餌之言邪愚竊以爲無知之俗不可以歲辱大命天子之使不可以日臨穹廬是手足倒懸夷夏相侔復何以南面而聽天下穆穆然而觀諸侯愚敢以棄同即異而言且定西之危有若前之說申北之恩有羈縻之文不願國家曠兵于茲汙命于斯者皆巖廊之亟扆旒之虞而屑屑狂夫亮違孔父不謀之經庶陪公車敢諫之儔俾委輅輸賞求試屬國之官而後觀焉某再拜

上澤潞劉司徒書　杜牧

今日輕重望于幾人相位將權長材厚德與輕則輕與重則重將軍豈能讓焉昔者齊盜坐父兄之舊將七十年來海北河南泰山課賦三千里料甲一百縣獨據一面橫挑天下利則伸鈍則滿鏃而不發約在子孫血絕而已此雖使鐵偶人爲六軍取不孔易況席征蔡之弊天下銷耗燕趙伏用齊卜我當此之時一年不能勝則百姓半流二年不能勝則關東之國孰知其變化也將軍一

心仗忠半夜興義昧旦而齊族矣疆土籍口探出僭物重寶仰關輦上是以趙一搖燕一呼爭來汗走一日四海廓廓然無事矣伏惟將軍之功德今誰比哉是以初守滑臺爲尚書守潞爲僕射乃作司空乃作司徒爰開丞相府平章天下越錄蹤等驟得富貴古今之人亦以爲將軍止此而已矣將軍德於國家甚信大國家復之於將軍雅亦無與爲大矣今者上黨足馬足甲馬極良甲極精後負燕前觸魏側附趙彼三虜屠四天子耆老劫良民使叛銜尾交頸各蟠千里不貢不覲私贍妻子王者在上此輩何也今者上黨馳其精良不三四日與魏決於漳水西不五六日與趙合於泜水東縈太原挑飛狐緩不二十日與燕遇於易水南此天下之郡國足以事區區於忠烈無如上黨者明智武健忠寬信義知機便多算畫攻必巧戰不負能使萬人樂死赴敵足以事區區於忠烈天下之人無如將軍者爵號祿位富貴休顯宜驅三族上校恩澤宜出萬死以副倚注天下之人亦無如將軍者是將軍負天下三無如之望也始者將軍賴齊然後得祿仕入卧內等子弟一身聯齊累世之逆卒境上爭首其恩甚厚其勢甚不便將軍以爲大仁可以殺身大忠不顧細謹終探懷而取之今者將軍負三無如之望上戴天子四海之大以爲緩急所宜日夜具申喧請今默而處者四五歲矣負天下之三無如者宜如是邪不宜如是邪是以天下之小人以爲將軍始者亡齊見利而動今者安潞見義而止若是則天下利無窮義有限走無窮背有限則安可識之哉其有識者則曰不然夫桓文之霸也先修刑政然後事事近者山東士人來者咸道上黨之政軍士兵吏之詳男子畝婦人桑老者養孤者庇上下一切罔有紕事暨乎政庭則將軍不知尊布衣不知卑諸侯之驕久矣是以高才之人不忍及門仁政不施久矣是以暴亂不止若此者將軍是行仁政來高才苟行仁政來高才若非止暴亂尊九廟峻中興復何汲汲如是邪在漢伯通在晉牢之二人功力不寡一旦誅死人豈冤之苛秦相猛將終戒視後禍大唐太尉

房公忍死表止伐遼此二賢當時德業不左諸人尙死而不已蓋以輔君活人爲事非在矜伐邀引爲心也伏惟將軍思伯通宋之所以不終仰相猛房公之所以垂休則天下之人口祝將軍之福壽目覩將軍盛德之形容手足必不敢加不肖於將軍之草木此乃上下萬世烈丈夫口念心禱而求者今將軍能有之豈可容易而棄哉大唐二百年自外叛者三十餘種大者三得其二小者亦包裹千里燕趙魏潞齊蔡吳蜀同歡共悲手足相急陣刺死帳下死圍悉死伏劍死斬死絞死大者三歲小或一月已至于盡死曰忠曰義則有父子同壇兄弟繼踵論罪則曰有某功論功則曰捨某罪伏惟十二聖之仁一何汪汪焉天之校惡滅逆復何切切焉此乃盡將軍所識復何云云小人無位而謀當死罪某恐懼再拜

上招討宋將軍書　羅隱

朝廷以箾陵九年彭虺肆螫而東南一臂爲之枯耗其後吳卒以狼山叛則東西浙之筋力殆矣自爾天子不忍重困百姓由是官朱實爵諸葛爽秩安文祁皆自盜而昇朝序也所以不幸者江南水鍾陵火沿淮饑汴滑以東螟故無賴輩一食之不飽一衣之不覆則磨寸鐵挺白棒以望朝廷姑息而王仙芝尙君長等淩突我廬壽燁剝我梁宋天子以蟣蝨痒痛不足搔爬因處分十二州取將軍爲節度非方鎭之無帥非朝廷之乏人蓋以將軍跳出隴右不二十餘年三擁節旄謂將軍必能知恩用命耳今聞羣盜已拔睢陽二城大梁亦板築自固彼之望將軍其猶沸之待沃壓之待起也而將軍朱輪大旆優游東道抑不知朝廷八十三州奉將軍侍衞者乎抑俾將軍誅翦草寇者乎昔韓之醫良而性嗇故爲人治未嘗剔去根源所以延其疾而養其財也後有商於韓者以疽見醫醫且欲大其疽而沽其直因以藥稔之而疽潰商斃商之家表於韓韓侯屍其族而籍其有無且二賊齧壽春啗潁上刷亳社掠合肥經營於梁宋其爲老者殺而少者傷驅人之婦女輦人之財貨將軍固知之矣自將軍受命迄今三月關東之慘毒不解殺

傷驅輦之不己乃將軍爲之非君長仙芝所爲也文皇帝時衞公靖大帝時鄭仁泰辥仁貴或戢斂不謹或何候輜重當時憲司悉繩以法今將軍勳業不若衞公靖之多也出師非鄭辥之敵也而橫擁仕伍鞭撻餽運以愚度之將軍之行酷於君長仙芝之行也甚爲將軍憂前者天子慮將軍以愛子之念復授禁秩俾在軍前則朝廷寵待將軍倚望將軍也俱不淺矣苟將軍勠力以除暴推誠以報國今其時也無使躡韓之醫

上韓舍人行軍書　吳武陵

朝廷命將自數十百年未有此重然始命之重而終責之固重矣今丞相主也刑部以宣慰爲名乘生殺之機制善敗之略獨在閤下閤下可使諸侯盡附餘寇必誅以快天子之心哉若曰吾獨主降者與其縣邑耳則是一王官之事又非相國與朝之大賢所宜降也若曰吾將以法令齊之則是韓弘之法令嚴肅已過不可加也若曰吾以闕庭之威刦之俾諸將懼而前鬬則在下數行之詔

決行之耳又不必躡踵而推捽項而驅也若曰吾親視其師有不用命者則奪其符而易置幕府則宜有素定不可臨事而待聞也若曰吾將將彼三將督進六萬以誅寇則其軍各從其帥帥之命也吾未嘗撫循其人又將何以結其心而求其死哉獨曰賊重吾德義必來降此蓋萬一也脫不如旨其將何圖嗚呼國之理亂在此行矣得其晝則兩河不足平河湟不足復失其策則天下之事益恐不盡願梗概其旨於閤下夫兵機若神應事立斷千里之外必待奏聞而后行事亦變矣誠願丞相宜密請敕旨事無巨細行而後聞又宜奏取中人嘗所不快者爲監軍以一之卽歸素所快者於內爲吾地則用陰符五賊之術以傾諸侯卽復出絹八九十萬以賞給士大夫誠然矣則孰不爲丞相之人既獲腰領則以朝命命三將爲三陣既定則明斥候擊牛高會潛授緣邊諸將以實期又公以三期紿賊令辯士持一函書賜元濟及其將士以全活

彼必降矣適不如料則一日快進必次於城下此大略也夫臨機制變又何可數昔司馬宣王征孟達則八道急攻征公孫文懿則捨其銳而趨其虛緩以撓各從其利也夫禽之制在氣顧吾之法令何如耳昔蕭王以千人劉牢之以八百人高隆以三千五百人謝玄以五千人劉裕以二千五百人是皆立鴻勳成大業矣夫就世務者在結人心結人心者在吾所以張其形勢也方聞紀綱之僕者三百人軍令苟行亦足以塞諸侯之望奪羣寇之心歸六萬人之志矣使賊不爲則已爲則必決死於一戰以延其命願閤下無事迫速慎出令拔奇士而已昔先主所以分蜀而帝者獨以長短之權傾曹公耳誠使諸侯以嚴暴吾以寬厚收之諸侯以殺戮吾以禮義懷之彼有所短吾見其長彼有所乏吾施其餘則事何不濟功何不成書不可盡尋當面策

上李太尉論北邊事啟　杜牧

某啟伏以聖主垂衣太尉當軸威德上顯和澤下流諸侯無異心

百姓無怨氣星辰順靜日月光明天業益昌聖統無極旣功成而理定實道尊而名垂今則未聞縱東山之遊樂後園之醉惕惕若不足兢兢而如無豈不以邊障尚驚殊虜未殄防其入寇猶須徵兵伏以迴鶻種落人素非多校於突厥絕爲小弱今者國破衆叛逃來漠南爲羈旅之魂食草菜之實白鼠驪騂之騎彫耗已無湩酪皮毳之資飢寒皆盡寄命雜種藏跡陰山取之及時可以一戰今者度虜之計不出二者時去時來徊翔不決必有所在西戎已得要約何其氣勢同爲侵擾此其一也心膽破壞馬畜殘少且於美水豐草暖日廣川牧馬養習以俟强大此其二也今者徵中國之兵與之首尾久戍則有師老費財之憂深入則有大寒瘃墮之苦示戎狄之弱生姦傑之心今者不取恐貽後患敢以管見上干尊重自兩漢伐虜皆是秋冬不過百日驅中國之人入苦寒之地此時匈奴勁弓折膠童馬免乳畜肥草壯力全氣盛與之相校勝少敗多故匈奴云漢實大國也但其人不能辛苦爾此所謂避虛

而擊實逃短而攻長至於後魏崔浩因見其理蠕蠕强盛屢犯北邊浩請討之曰蠕蠕恃其地遠自寬已久故夏則散衆放畜秋肥乃聚背寒向暄南來寇鈔今出其慮表掩其不備大兵卒至必驚駭星分向塵奔走壯馬護牧牝馬戀駒驅馳難制不得水草未過數日則聚而困斃可一舉而滅矣武帝從之及全軍入境蠕蠕先不設備民畜布野驚怖四奔莫相收攝於是分軍撲討東西五千里南北三千里凡所俘虜及獲畜産彌漫山澤高車因殺蠕蠕種類歸降者三十餘萬落虜遂散亂帝沿弱水西行至涿邪山諸大將慮深入恐有伏兵勸帝停止不追浩先勸窮追之不從後聞涼州賈胡言若更前行二日則盡滅之矣帝深恨之以某所見今若以幽并突陣之騎酒泉教射之兵整飭誡誓仲夏潛發計陰山與涿邪之遠近十不一二校蠕蠕迴鶻之强弱猶如虎鼠五月節氣在中夏則熱到陰山尚寒中國之兵足以施展行軍於枕席之上翫寇於掌股之中軏轜懸餅湯沃晛雪一舉無類必然之策今冰合防秋冰銷解戍行之已久虜爲長然出爲意外實爲上策議者或云北取黠戛令討迴鶻伏以黠戛起於別種超爲可汗必是英傑天時必助賢材必用法令必明滅迴鶻之後便是勍敵況示之以弱必爲所輕今者四海九州同風共貫諸侯用命年穀豐熟可以瘞玄玉於常山孑遺人於河壠顧茲疲虜豈遺子孫伏惟太尉相公文德素昭武功復著畫地而兵形盡見按瑣而邊事無遺唯一指蹤即可埽跡昔漢武帝求賢也有上書不足採者輒報罷去未嘗罪之故能羈越臣胡大興禮樂今太尉與仁聖天子同德有志之士無不願死伏惟特寬狂狷不賜誅責生死榮幸無任感恩攀戀惶懼汗慄之至

文粹卷弟八十

文粹卷第八十

文粹卷第八十一

吳興　姚鉉　纂

書三　總七首

與劉禹錫論易書　柳宗元

見與董生論周易九六義取老而變以爲畢中和承一行僧得此說異孔穎達疏以爲新奇彼董子畢子何膚末於學而遽云云也都不知一行僧承韓氏孔氏說而果以爲新奇不亦可笑矣哉韓氏注乾之策二百一十有六曰乾一爻三十有六策則是取其過揲四分而九也坤之策一百四十有四曰坤一爻二十四策則是取其過揲四分而六也孔穎達等作正義論云九六有二義其一者曰陽得兼陰陰不得兼陽其二者曰老陽數九也老陰數六也二者皆變周易以變者占鄭玄注易亦稱以變者占故云九六也所以老陽九老陰六者九過揲得老陽六過揲得老陰此具在正義乾篇中周簡子之說亦若此而又詳備何畢子董子之不視其書而妄以口承之也君子之學將有以異也必先究窮其書究窮而不得焉乃可以立正也今二子尚未能讀韓氏注孔氏正義是

見其道聽而塗說者又何能知所謂易者哉足下取二家言觀之也則見畢子董子膚末於學而遽云云也足下所爲書非元凱兼三易者則諾若曰孰與穎達著則此說乃穎達說也非一行僧畢子董子能有異說者也無乃卽其謬而承之者歟觀足下出入筮數考校左氏今之世罕有如足下求易之悉也然務先窮昔人書有不可者而後革之則大善謹之勿遽宗元白

答王績書　杜之松

辱書知不降顧歎恨何已僕幸恃故情庶迴高躅豈意康成道重不許太守稱官老萊家居羞與諸侯爲友延佇不獲如何如何奇跡獨全幸甚幸甚敬想結廬人境植杖山阿林壑地之所豐煙霞性之所適蔭丹桂藉白茅濁酒一杯淸琴數弄誠足樂也此眞高士何謂狂生僕憑藉國恩濫尸貴部官守有限就學無因延頸下風我勞何極前因行縣實欲祇尋誠恐燉煌孝廉守琴書而不出酒泉太守列鐘鼓而空還所以遲迴遂攬轡也僕雖不敏頗識前言道旣知尊榮何足恃豈不能正平公之坐敬養亥唐屈文侯之膝恭師子夏雖齊桓德薄五行無疑眭夸故人一來何損蒙借家禮今見披尋微而精簡而備誠經傳之典略閨庭之要訓也其喪禮新義頗有所疑謹用條問具如別帖想荒晏之餘爲銓釋也遲更知聞杜之松白

重答杜君書　王績

月日佐吏楊方至奉報書兼枉帖垂問家禮喪服新義五道度情振理探幽洞微誠非野人所敢酬析但先人遺旨頗曾恭習雖困於荒晏猶憶於異聞謹因還使條申如左夫三年之喪情禮之極有正有義因事之作也正服之縗三升而已至於義服加其半焉豈非義有離合之理情無遷奪之法然親尊罔極冠綬可均切至或殊縗如其半微以見志有何怪焉至如父爲嫡子獨施斬服蓋以所承者重情寄特深非惟親親且尊尊也至於庶子已不承尊雖有長子無預祖禰不爲服斬義亦可知但古之君臣有國有家

相承繼體血祀長存大宗小宗較然有別繼祖繼禰由茲可推故曰天子不絕國諸侯不絕家貴人之宗也故別子爲祖父繼之爲大宗此百代不遷之宗也已父爲禰兄繼之爲小宗此四代則遷之宗承百代之重且得不爲其長子斬乎爲四宗之祖亦且得不爲其長子斬乎唯繼禰之弟無預祖禰庶子之義施此而已自秦漢已來家國道廢雖有其禮將安所行逮乎晉末中原大亂骨肉至親尙不相保祖禰之序知何以明故僕先君獻公因事起義欲使無逆於古且介可行於今以爲今之封爵頗存古號雖無其實而尙有其名故以始受封者猶古之諸侯諸侯之庶子卽古之別子也別子之庶子卽古之小宗也雖國破家亡朝遷市變譜牒存錄宗次可推咸可一依古禮行之私室至如宂宂耕者悠悠黔首族姓猶不能自辨何暇及於宗庶之事乎此古之先王所以不下禮於庶人也有何不可而乃疑乎至若夫妻之道誠爲義合而家道之睦斯爲首焉故傳曰妻至親也一體之名均於天性故妻之

於夫也其服曰斬葢移於父母之重焉夫之於妻也朞而有杖則踰於兄弟之功焉前賢往達曾無異議故曰妻者齊也一齊而不易如至失禮而出違妻之道終喪而嫁棄婦之義也違道棄義又何述焉苟全道義則天親也天親之服有何異乎列之正服斯爲當矣此先君獻公探記傳之旨明後來之失敦人倫之源睦伉儷之道也夫何病哉明公又云君臣夫妻俱以義合而妻爲正服臣爲義服則君臣之際不如夫婦之情乎斯不然矣何者夫禮有以情作者父子夫婦之類是也有以義作者君臣之類是也情義之極俱終于斬此其無升降明矣但禮之爲用緣情以至理因內以及外情者人之深心愚智之所共也孰有愚者而忘其妻子乎理者人之大節凡聖之所異也孰有凡主而忘其臣妾焉故情者正也此妻子所以荷深心而執夫父以正服也理者義也此臣妾所以存大節而申君主以義服也故夫正義之作殊情而共禮也孰謂君臣之義而謝夫婦之情乎孰謂夫婦之情而厚君臣之義乎

古之君子嘗度情以處斷義而行矣義可奪情衞石碏不能存其子情不害義宮之奇得以其族行故曰情義殊也情義均也故情義之服有正焉有義焉正義之禮無厚焉無薄焉此妻爲正服所以無害於君臣臣爲義服所以不傷於夫婦有倫有要夫何稽疑至於三殤之服禮有明文鄭與王杜各申本見由茲紛雜後莫能定然詳諸記義王杜爲長某昔在隋末嘗見諸賢講論此矣近者家兄御史亦編諸賢之論繼諸對問今錄此篇附往幸詳之也至如衆子服朞其妻小功兄弟之子猶子也其服亦朞先儒以爲其妻亦小功惟王肅以爲喪服之例旁尊皆執明公以爲重於子妻服而有服者亦何嫌乎兄弟之子妻越己子之妻乎故曰兄弟之之服失禮之差此則袁準之義也夫禮雖緣情亦爲義屈故從無子猶子也蓋引而致之故不嫌於與己子同服矣旁尊不敢以壓降蓋避正尊而自執也故不嫌於越己子之妻矣輕陳末學豈能詳究又於楊方奉口處分借王儉禮論門庭所蓄先無此書往於

處士程融處曾見此本觀其制作動多自任周孔規模十不存一恐不足以塵大雅君子之視聽也尋問儻獲當遺祇送王績白

與呂道州溫論非國語書　柳宗元

四月三日宗元白化光足下近世之言理道者衆矣率由大中而出者咸無焉其言本儒術則迂迴茫洋而不知其適其或切於事則苛峭刻覈不能從容卒泥乎大道甚者好怪而妄言推天引神以爲靈奇恍惚若化而終不可逐故道不明於天下而學者之至少也吾自得友君子而後知中庸之門戶階室漸染砥礪幾乎道眞然而常欲立言垂文則恐而不敢今動作悖謬以爲僇於世身編夷人名列囚籍以道之窮也而施乎事者無日故乃挽引彊爲小書以志乎中之所得焉嘗讀國語病其文勝而言尨好詭以反倫其道舛逆而學者以其文也咸嗜悅焉伏膺呻吟者至比六經則溺其文必信其實是聖人之道翳也余勇不自制以當後世之訕怒輒乃黜其不臧究世之謬凡爲六十七篇命之曰非國語既

就累日怏怏然不喜以道之難明而習俗之不可變也如其知我者果誰歟凡今之及道者果可知也已後之來者則吾未之見其可忽邪故思欲盡其瑕纇以別白中正度成吾書者非化光而誰輒令往一通惟少留視役慮以卒相之也往時致用作孟子評有韋辭者告余曰吾以致用書示路子路子曰善則善矣然昔之爲書者豈若是摭前人邪韋子賢斯言也余曰致用之志以明道也非以摭孟子蓋求諸中而表乎世焉耳今吾爲是書非左氏尤甚若二子者固世之好言者也而猶出乎是況不及是者滋眾則余之望乎世也愈狹矣卒如之何苟不悖於聖道而有以啓明者之慮則用是罪余者雖累百世滋不憾而恧焉於化光何如哉激乎中必厲乎外想不思而得也某再拜

答吳武陵論非國語書

濮陽吳君足下僕之爲文久矣然心少之不務也以爲是特博弈之雄耳故在長安時不以是取名譽意欲施之事實以輔時及物

爲道自爲罪人捨恐懼則閒無事故聊復爲之然而輔時及物之道不可陳於今則宜垂于後言而不文則泥然則文者固不可少也拘囚巳來無所發明蒙覆幽獨會足下至然後有助我之道一觀其文心朗目舒炯若深井之下仰視白日之正中也足下以超軼如此之才每以師道命僕僕滋不敢僕每爲一書足下必大光耀以明之固又非僕之所安處也若非國語之說僕病之久嘗難言於世俗今因其閒也而書之恒恐後世之知言者用是詬病狐疑猶豫伏而不出者累月方示足下足下乃以爲當僕然後敢自是也呂道州善言道亦若吾子之言意者斯文殆可取乎夫爲一書務富文采不顧事實而益之以誣怪張之以闊誕以炳然誘後生而終之以僻是猶用文錦覆陷穽也不明而出之則顛者眾矣僕故爲之標表以告夫遊乎中道者焉僕無聞而甚陋又在黜辱居泥塗若螾蛭然雖鳴其音聲誰爲聽之獨賴世之知言者爲準其不知言而罪我者吾不有也僕又安敢期如漢時列官以立學

故爲天下笑邪恃足下之愛我厚始言之也前一通如來言以汚篋牘此在明聖人之道微足下僕又何託焉宗元頓首

答楊湖南書　　權德輿

使至蒙惠寄制集序發函煥然盈耳溢目弘麗博厚坦夷章明如黃鍾大玉慶霄天籟奇采正聲鏗鏘照燭眞可謂作者之表方駕古人欣歡駭悚詠歎無斁甚盛甚盛但根本不稱獎飾非宜以此爲雄文至鑒之累如何如何書命者古先哲王之所以發德音而賦百職也在易曰后以施命誥四方書曰誕告萬方詩曰訏謨定命遠猶辰告故君陳君牙畢命冏命之作皆直而文僴而誠含章而不流漢廷亦云文章爾雅訓辭深厚其重如是而鄙人忝焉使盛聖之文明不登於典謨訓誥罪在菲薄其敢逃責於多士邪昔顏氏之子有不善未嘗不知知之未嘗復行愚雖竊知之之道而職命所拘不能不俟終日而勇退日踐復行之過至于九年暴于四方爲所觀笑此所以慙愧於古人也亦思人生世間當志於遠者大者豈數數然損精耗神攘竊文字而猶力不足意不逮雖三溢直諒之道久廢獨不愧於心乎昨休沐之餘愚子呈閱者以有大朝中外之授受士友遷除之歲時遂不計姸蚩相從以類初不敢以制集自命但全其文而已因其猥多分列卷第又醜然以序引奉煩者誠以承眷之深而心仰雄伯使夜光冠於魚目永爲子孫祕藏非敢效太沖三都而求玄晏發之之道也及覽鴻麗之作無非溢言追思內訟已無所及使鄙人涉僭竊自見之患陷作者於玉巵無當之嫌一不敏而交相喪何可言也伏以門中忠節敘述周詳因小生之無似揚先德於不朽伏讀感咽何階仰酬結於肺腑沒齒無極又德音宥密皆出自中禁而西掖所掌止於命官今序中所言霈王澤燭幽滯振刑典申肅殺揄揚弘大務極其言則虛美之中又爲虛美所冀盡去過談方敢受賜耳故吏部李員外三丈寓書於柳祕書求爲後集序此賢達所不能忘懷也但侈言失實如楚越之相遼異時見譏於通人則復爲累亦輒爲閣下

良規非止於自謀也左曹許公範二紀已來過於賞愛鄙人每以逐臭況之今又遇閣下此作素多昧理忽復自疑幸無泥於眷私而滅裂公是是所望也載之再拜

上李大夫論古篆書

李陽冰

陽冰志在古篆殆三十年見前人遺跡美則美矣惜其未有點畫但偏傍模刻而已緬想聖達立制造書之意乃復仰觀俯察六合之際焉於天地山川得方圓流峙之形於日月星辰得經緯昭回之度於雲霞草木得霏布滋蔓之容於衣冠文物得揖讓周旋之體於鬚眉口鼻得喜怒慘舒之分於蟲魚禽獸得屈伸飛動之理於骨角齒牙得擺拉咀嚼之勢隨手萬變任心所成可謂通三才之氣象備萬物之情狀者矣常痛孔壁遺文汲冢舊簡年代浸遠謬誤滋多蔡中郎以豊同豐李丞相將束爲宋魚魯一惑涇渭同流學者相承靡所遷復每一念至未嘗不廢食雪泣攬筆長歎焉天將未喪斯文也故小子得篆籀之宗旨皇唐聖運逮茲八葉天

生克復之主人樂惟新之令以稽古爲務以文明爲理欽若典謨疇茲故實誠願刻石作篆備書六經立於明堂爲不刊之典號曰大唐石經使百代之後無所損益仰明朝之洪烈法高代之盛事死無恨矣陽冰年垂五十去國萬里家無宿舂之儲出無代步之乘仰望紫極遠於丹霄若溘先犬馬此志不就必將負於聖朝是長埋於古學矣大夫銜命北闕撫寧南方苟利國家專之可也伏望處分令題簡牘及到主人寒天已暮闇燭之下應命書之霜深筆冷未窮體勢儻歸奏之日一使聞天非小人之已務是大夫之功業可否之事伏惟去就之陽冰再拜

文粹卷第八十一